Le gâchis des généraux

Du même auteur

L'Affaire Dreyfus, 1959.
Poincaré, 1961.
La Paix de Versailles et l'opinion publique en France, thèse d'État, 1972.
Histoire de la France, 1976.
Les Guerres de Religion, 1980.
La Grande Guerre, 1983 (Premier Grand Prix Gobert de l'Académie française, 1984).
La Seconde Guerre mondiale, 1986.
La Troisième République, 1986.
Histoire du monde contemporain, 1991.
La Guerre d'Algérie, 1993.
Les Polytechniciens, 1994.
Les Quatre-Vingts, 1995.
Mourir à Verdun, 1995.
Vincent de Paul, 1996.
Le Chemin des Dames, 1997.
Les Poilus, 2000.

Pierre Miquel

Le gâchis des généraux

Les erreurs de commandement pendant la guerre de 14-18

PLON

ISBN : 2-259-19409-5

La valse des généraux

Les généraux peuvent-ils être tenus pour responsables des quatre millions de morts allemands et français de la longue guerre de 1914-1918 ? Incapables d'obtenir la décision par des moyens stratégiques, comment se sont-ils résignés à la « guerre d'usure » qui a saigné les deux nations, jusqu'à les laisser exsangues en novembre 1918, dans une Europe déséquilibrée, vidée de ses forces vives ? Comment ont-ils pu croire et faire croire qu'ils obtiendraient la percée miraculeuse, la victoire décisive ? Au temps des « repentances », peut-on mettre en question la responsabilité de ceux qui ont présidé aux carnages ? Et s'ils sont responsables, sont-ils coupables ?

Se poser seulement la question a longtemps semblé incongru, voire suspect : critiquer Ludendorff et Hindenburg en Allemagne, après 1918, était mettre l'armée et son honneur en question, alors qu'elle était, même réduite, la seule force disponible contre le communisme et l'instrument de la revanche. On déplaçait les chefs vaincus, on ne les dénonçait pas, au nom de l'honneur de l'armée, concept politique de la plus grande efficacité. On mettait les défaites sur le compte du hasard des guerres, ou de la déficience partielle des unités. Sur le terrain, les sanctions étaient imaginables, pas au sommet.

En France, le haut commandement jouissait au début de la guerre d'une invulnérabilité républicaine, si différente de la tradition de 1793, où les généraux ci-devant (les seuls qui pussent assurer les manœuvres d'armées) étaient soumis à la surveillance quotidienne des représentants, qui envoyaient suspects et vaincus à la guillotine, sans égard pour les victoires passées.

Les généraux et maréchaux du second Empire avaient brillé par leur incompétence ou leur lâcheté, au point qu'on avait jugé Bazaine, coupable de la reddition de Metz. Le maréchal n'avait fait aucune tentative sérieuse pour rejoindre l'armée de Châlons commandée par Mac-Mahon. Il avait été jugé par un conseil de guerre présidé par le duc d'Aumale, condamné à la dégradation militaire et à la peine de mort. Gracié par Mac-Mahon, interné à l'île Sainte-Marguerite, il s'en était évadé pour gagner l'Espagne où il mourut.

Cette nullité militaire aux ordres d'un pouvoir complaisant était, pour les républicains, un repoussoir. Il convenait de confier l'armée française, non à des aventuriers ou à des intrigants, mais aux meilleurs élèves de l'École de guerre, reconnus universellement pour leur valeur et leur caractère. Il était admis, depuis Gambetta, que le haut commandement devait être aux mains des meilleurs techniciens de la guerre, sans aucune considération politique. Cette doctrine avait subi plusieurs entorses, mais elle avait été constamment réaffirmée.

Une affaire politique survenue en 1902, celle des *fiches* du général André, ministre radical socialiste de la Guerre sous le ministère anticlérical de Combes avait encore renforcé la tendance. Que le ministère osât défavoriser des officiers compétents, au vu de fiches de police dérobées par la maçonnerie, sous prétexte qu'ils « allaient à la messe » était une faute lourde. Elle s'était renouvelée lors de l'affaire Dreyfus, où la hiérarchie militaire avait animé le combat politique contre le « traître ». Si le haut commandement s'était empêtré dans l'affaire, jusqu'à y perdre sa crédibilité, il s'était par la suite reconstitué sur le principe fondamental de la nomination à tous les postes de chefs à la compétence reconnue, quelles que fussent leurs opinions et leurs croyances : Joffre le franc-maçon commandait à Chantilly en symbiose avec le « jésuite » Castelnau son second. Le commandement unique devait être uni.

Accuser tel ou tel chef était mettre en question, non pas l'honneur, mais la crédibilité de l'armée comme institution capable d'assumer la guerre. Le commandement était une charge sacrée dont le général en chef était responsable, il est vrai, devant la nation, mais son pouvoir sans partage était admis sans réticence et sans frein. La reconnaissance de la hiérarchie et de l'indépendance absolue du pouvoir militaire, la confiance nécessaire du pouvoir civil dans son état-major de guerre étaient inscrites dans la logique républicaine de 1914. Poincaré et Viviani avaient remis à Joffre, une fois pour toutes, la charge de défendre le pays. Ils ne pouvaient revenir sur cette confiance obligée qu'en cas de force majeure.

La victoire de la Marne, puis l'enfouissement de l'armée dans les tranchées de la ligne de l'Aisne et de la Somme renforçaient encore la tendance à la délégation de pouvoir. Il n'était pas question d'intervenir dans les décisions prises par l'état-major, même quand les morts s'accumulaient sur les champs de bataille. Les critiques des parlementaires étaient systématiquement écartées par le gouvernement au nom de l'indépendance nécessaire du commandement, les commissions d'enquête au front refusées ou longtemps ajournées, les journaux censurés. Qu'un Clemenceau alors dans l'opposition sénatoriale, dont on ne pouvait soupçonner le patriotisme, mît en question la compétence des généraux semblait insupportable.

On mettait son acharnement sur le compte de l'obstination sénile, de l'irresponsabilité. Son journal, *L'Homme libre*, devenu *L'Homme enchaîné*, était « caviardé » par le pouvoir. Comment osait-il écrire qu'on laissait sans aucun soin les blessés graves, que les canons manquaient d'obus et les soldats de casques et de capotes ? On admettait les critiques, mais feutrées, sans incidence polémique, dans le secret des cabinets.

Le culte du chef faisait partie de la propagande de guerre. Joffre, Foch, Castelnau étaient alors au zénith. Comment les débarquer, en cas d'échecs répétés, dont les batailles des frontières, les désastres de Morhange et de Charleroi, avant la Marne, avaient fourni l'exemple, sans remettre en question le dogme de la nécessaire indépendance du commandement ? Précisément, la victoire de la Marne avait montré que l'on avait eu raison de faire confiance. Pour se débarrasser de Joffre et de son successeur, il faudrait ruser.

Depuis les grandes tueries de 1915 et 1916, les polémiques n'ont eu de cesse, comme si la solution miracle à l'impasse de la guerre était le changement du général en chef, considéré plus que jamais comme le responsable unique des opérations militaires. Pour ou contre Joffre, Foch, Pétain. Nivelle a seul réuni l'unanimité des blâmes, comme s'il était l'unique coupable de l'échec du Chemin des Dames. Encore n'a-t-il pas été sanctionné, mais seulement éloigné.

Des trois généraux commandant en chef les armées françaises en 1914-1918, Joffre, Nivelle et Pétain, deux ont été faits maréchaux de France. Le titre a été remis en activité pour eux. Il avait disparu depuis la défaite du second Empire. Deux d'entre eux ont été démis de leurs fonctions, Joffre et Nivelle. Le premier a fait l'objet de nombreuses interventions et demandes d'explications aux comités secrets de la Chambre et du Sénat. L'autre a dû répondre aux questions d'une commission de généraux.

Le dernier général en chef, Pétain, a été privé de son commandement à l'armée de Verdun, en mai 1916, pour être propulsé dans un placard d'où il laissait la place à Nivelle, vainqueur sur le champ de bataille à la tête de la 2e armée en octobre 1916. Ces évictions, ces nominations ont toujours été le fait du pouvoir politique, lui-même soumis à la valse des cabinets pendant toute la guerre. A l'instabilité de ce pouvoir avait fini par correspondre, après les deux ans de très relative sérénité du consulat de Joffre, celle du commandement en chef. Pas un seul de ces généraux n'a pu éviter la contestation politique et donc la claire reconnaissance de sa responsabilité.

Les rapports des chefs de l'état-major et du gouvernement ont été constamment tendus, contraignant le généralissime à entrer lui-même dans le jeu politique, à se chercher des assurances et des protections, à se placer ainsi inévitablement sous sa coupe. Le clan Joffre s'opposait ainsi au clan Gallieni, comme Lyautey à Joffre, puis à Nivelle, et Foch à Pétain.

Ces rivalités au sommet cachaient des divergences de vues, voire des oppositions franches sur la stratégie de guerre et même sur la tactique. Plusieurs généraux, Gallieni, Roques, Lyautey, devenus ministres de la Guerre, franchissaient la frontière politique pour tenter d'imposer, au nom du gouvernement, leurs conceptions à l'état-major. En réalité, ils étaient portés au pouvoir par les politiques désireux de se servir d'eux pour obtenir des changements dans la conduite de la guerre, ardemment réclamés par leurs électeurs et souhaités par le Parlement.

S'ils avaient recours à ces manœuvres, c'était pour tenter de percer les secrets des responsables directs de la guerre et d'influer sur les opérations futures. Incapables d'attaquer de front un général en chef sans encourir le reproche d'intervenir dans les opérations militaires, ils l'investissaient de biais, pour l'infléchir, l'amener le plus possible à leurs vues.

Instabilité et impuissance du pouvoir obligent Viviani à changer de ministre de la Guerre et à remplacer Messimy, qui part au front, par le civil Millerand. Briand inaugure la mobilisation des généraux avec Gallieni, installé rue Saint-Dominique, qu'il remplace, après sa mort, par Roques, puis par Lyautey, tous ou presque adversaires de Joffre. Cette tentative de reprise en main du pouvoir civil par le biais de militaires glorieux entraînés dans les cabinets se poursuit résolument. Mais après la démission de Lyautey et la chute de Briand, en mars 1917, tout change : le ministère de la Guerre est alors remis à Paul Painlevé, leader politique de centre gauche de première importance.

Quand celui-ci devient président du Conseil, le 13 septembre 1917, il inaugure une figure nouvelle : il s'installe rue Saint-Dominique et se charge personnellement de la Guerre, comme son successeur Clemenceau le 17 novembre 1917. La prise en charge progressive de l'état-major par le pouvoir politique est donc une constante dans l'histoire de la guerre. Avec Clemenceau, les généraux ont perdu définitivement leur indépendance, reconnue et défendue pourtant au début du conflit, comme une exigence absolue d'efficacité militaire. Bien qu'on ne cesse de les encenser et d'en faire des vedettes dans la presse, il devient évident que le monde politique est de plus en plus soucieux de leur imposer stratégie et tactique, ou, pour le moins, une forme de contrôle. Une défiance constante et réciproque finit par s'installer, les généraux portant tout le poids des défaites et des hécatombes. Ils ne sont plus seulement considérés comme responsables, ils deviennent suspects. Le politique a le devoir de les mettre sous l'« œil de surveillance ».

Ils sont accablés de reproches contradictoires : le plus souvent on les trouve timorés, lents, incapables d'imposer la décision et la victoire par la percée du front. Mais on commence aussi, après un million d'hommes perdus, à leur faire grief de multiplier les offensives meurtrières et infructueuses. Plus la guerre se prolonge, plus il leur est difficile d'agir, au point que le dernier nommé, Pétain, est choisi et choyé pour ses qualités de temporisateur. En 1918, quand l'initiative passe presque entièrement au camp allemand, Clemenceau considère qu'il est de son devoir de mener lui-même les généraux. Il s'estime seul responsable.

Est-il devenu possible de les mettre en accusation pour incapacité, négligence, ou faute professionnelle ? Il est déjà difficile de les changer, sauf en cas de catastrophe patente comme l'affaire du Chemin des Dames en 1917, cause directe de la mutinerie de l'armée. Joffre, général en chef malheureux en 1915 et 1916, est auditionné par les comités secrets et par les conseils, sans plus. Quant à Pétain, il quitte le front de Verdun et revient à l'état-major sous la seule action du milieu politique, sans qu'on lui demande des comptes. Les généraux en chef ne sont pas jugés, ils sont, dans le pire des cas, mutés. Faut-il donc considérer le pouvoir politique, dont l'autorité sur le commandement s'affirme de plus en plus, comme seul responsable des erreurs sanglantes de la guerre ?

En Allemagne Moltke II, neveu du vainqueur de Sadowa, est immédiatement destitué après l'échec de la Marne. Il n'est ni jugé ni condamné, mais nommé en 1915 commandant des forces de l'intérieur. Son successeur Falkenhayn, rendu responsable des déconvenues de Verdun et de la Somme perd aussi son commandement, mais reprend du galon en Orient.

L'empereur fait et défait les généraux, sans que le pouvoir politique intervienne. Quand il nomme Hindenburg et Ludendorff à la direction du grand état-major, ceux-ci refusent la moindre ingérence gouvernementale dans les questions militaires qui ne relèvent que de l'empereur. En 1917, que le Parlement manifeste une velléité d'indépendance et l'état-major impose ses vues avec force, dirigeant pratiquement non seulement la guerre, mais le pays en guerre jusqu'à la fin. Si Ludendorff doit démissionner en octobre 1918 c'est sous la pression du président américain Wilson qui refuse de discuter de l'armistice avec les personnages emblématiques du militarisme prussien. On lui concède la tête du quartier-maître général (major général en France), le général en chef reste en place.

Mutations, mais non jugement. L'armée allemande doit garder sa force et son image, jusque dans la défaite. Elle doit se plier *in fine* aux conditions posées par le pouvoir politique parce que celui-ci n'existe plus, miné par la révolution et les exigences des Alliés. Mais jusqu'au dernier moment le grand état-major allemand a gardé son indépendance, jusqu'à s'imposer définitivement au politique, intégrant au Conseil de guerre présidé par l'empereur non pas les politiciens, mais des civils chargés des questions économiques, admis au saint des saints en raison de leur compétence, de leur poids, de leur efficacité à nourrir la guerre et à empêcher toute ouverture de paix.

L'évolution des rapports de force entre militaires et civils est donc en Allemagne exactement à l'opposé du cas français. Elle va dans le sens d'une dictature de guerre, où les civils sont directement soumis aux militaires alors qu'en France les hommes politiques finissent par prendre la responsabilité totale de la guerre, y compris le droit de regard sur les opérations et les nominations d'officiers supérieurs. Cela explique qu'ils sont de moins en moins enclins à faire comparaître les généraux fautifs devant un tribunal, puisqu'ils ne les considèrent pas comme responsables des grands choix stratégiques.

Ils estiment que la défense de la politique de guerre devant le Parlement et l'opinion publique est exclusivement leur affaire et non celle des généraux. Ils comparaissent à leur place et les défendent devant les instances de contrôle. Ils n'ont pas besoin de l'avis du Parlement pour les muter. Ils le rejettent au contraire et déclarent à maintes reprises que si les députés et les sénateurs veulent une autre orientation de la guerre, ils n'ont qu'à renverser le gouvernement. Ainsi les généraux n'ont pas à se défendre devant le pouvoir législatif puisqu'ils n'ont de comptes à rendre qu'à l'exécutif. S'ils comparaissent devant les commissions parlementaires, c'est toujours à la demande du gouvernement et sous sa protection.

Les ponts ne sont pas coupés pour autant. D'abord, sous la pression du Parlement, le gouvernement doit accepter d'imposer au commandement les enquêtes au front des représentants en mission. Cette initiative permet et suggère à l'état-major de se prémunir contre son interlocuteur naturel, le président du Conseil et le ministre de la Guerre, en se cherchant des appuis dans les assemblées.

Ainsi, le président du Sénat, Dubost, le président de la Chambre, Paul Deschanel, et même Raymond Poincaré, le président de la République, ainsi que de nombreux présidents de groupe, ministres et anciens ministres, avaient-ils leur clientèle de généraux, empressés de leur confier leurs vues sur la marche des opérations. Non seulement les généraux en chef perdaient de plus en plus leur indépendance sur le terrain de la politique de guerre, mais ils devaient composer avec le monde politique au point de s'y insinuer, de se prêter au jeu des factions. Ils seraient étroitement soumis au pouvoir qui les nommait et les destituait, sans que le principe républicain de l'autonomie du commandement les défende. Un Briand imposerait Nivelle, un Painlevé, Pétain, un Clemenceau, Foch. En France, les généraux n'étaient pas seulement dominés par les politiques, ils tendaient par la force des choses à entrer dans leur jeu, ils en devenaient bien contre leur gré les complices.

Ils devaient, à l'évidence, se trouver des protecteurs. Les divisionnaires eux-mêmes cherchaient des parapluies au-delà des galonnés supérieurs, dans le milieu politique. Les présidents étaient toujours heureux de disposer d'une clientèle d'officiers, souvent de grade inférieur, qui les renseignaient sur l'état du front, sur le moral et même sur les projets de l'état-major. Les généraux passaient souvent d'un milieu à l'autre, en raison de la confiance dont ils jouissent chez les politiques. Ils devenaient alors les conseillers du Prince. Le plus souvent ils disposaient, au gouvernement ou au Parlement, d'un appui, d'un recours, toujours utile en période d'orage.

Ainsi s'engage une lutte continuelle, feutrée, dont rien ne transparaît dans le public et qui laisse peu de traces aux archives. Les Français s'inquiètent, s'énervent, s'exaspèrent quand le conflit se prolonge et que les pertes s'accumulent. Ils demandent à leurs députés de la lumière, ils exigent des comptes pour les occasions perdues. Un échec à la guerre se traduit immédiatement par des dizaines de milliers de morts et de blessés. Il n'y a pas de dérobade possible pour les députés devant le nombre de victimes. Ils doivent assumer et exigent donc des explications.

Les poilus sont les premiers à mettre en cause, en vrac, généraux en chef et les politiques. Ils les assimilent spontanément dans leurs critiques, comme on peut le lire dans leurs journaux personnels, non censurables. Ils reprochent aux premiers de multiplier les offensives sans résultat, aux seconds d'être impuissants à conduire la guerre jusqu'à la victoire — ou à la paix.

Ils ont vénéré Joffre pour la victoire de la Marne, mais l'ont maudit pour les massacres quatre fois répétés de 1915. Chargeant Nivelle du poids de l'affaire malheureuse du Chemin des Dames, ils ont encensé Pétain pour son image de général économe de la vie des hommes. Ils ont acclamé Joffre et Foch vainqueurs et voué les vaincus aux gémonies.

Ils ont ainsi toujours disposé d'une image de rechange dans l'iconographie de la guerre. On a veillé à ce que les icônes fussent constamment renouvelées et encensées, elle permettaient seules de maintenir le moral. Cette exigence impliquait que l'on ne remît pas en question publiquement les fautes des généraux malheureux. Au pire, on les retirait du front, et de l'Hexagone. On n'entendrait plus parler en France de Nivelle, en Allemagne de Moltke. Maudits, mais oubliés.

La personnalisation excessive du commandement n'était pas seulement une affaire de propagande, mais une réalité. La hiérarchie s'imposait à l'armée et remontait à un seul homme. Au début de la guerre, il n'y eut aucune difficulté. Aux yeux du public et surtout des poilus, Joffre et non Viviani était responsable des échecs de 1915 comme de la victoire de 1914. Seules les coteries politiques voulaient partager la gloire de la Marne entre Gallieni et Joffre. Dans la victoire, comme dans la défaite, responsable ou coupable ?

Pour le disculper et ménager le vieil homme dans le malheur, on inventait un entourage désastreux : l'état-major de Chantilly. On cherchait en dehors du chef des coupables : les jeunes officiers exemptés de guerre par le service d'état-major suggéraient, disait-on, à Joffre ses idées dangereuses, l'entouraient d'une coterie irresponsable, prête aux plus fâcheuses initiatives. Ils tissaient un cocon sur Chantilly, éloignant parlementaires, journalistes, refusant toute explication sur la stratégie de guerre, décidant de tout pour lui, au nom de la technique militaire.

Cette redoutable bureaucratie de guerre était à ce point considérée comme néfaste qu'on résolut, en changeant Joffre, d'envoyer ces officiers au feu. Qu'ils s'y fassent tuer, qu'ils aillent au diable. On poussa l'ostracisme jusqu'à son terme en déménageant l'état-major général, comme si le lieu lui-même était maudit, comme s'il avait corrompu Joffre.

On brûlerait deux fois ce que l'on avait adoré, et l'après-Nivelle serait pire encore que l'après-Joffre. On avait tant porté son successeur aux nues, proclamé dans la presse le « vainqueur de Verdun » que son éviction brutale créait un profond traumatisme dans l'opinion. Si le meilleur général français, le plus jeune, le plus moderne, le plus savant pouvait se tromper à ce point, qu'en était-il des autres ? Comment le vieux Pétain, déjà écarté de Verdun en mai 1916, pourrait-il pousser les troupes à la victoire ? Il fallait bien se résoudre à convenir qu'il était là pour les épargner, et abandonner pour un temps la mythologie de l'« offensive jusqu'à la percée ». On lui tressait enfin sa couronne de gloire.

Le restaurateur de l'armée ne devait pas perdre son aura de chef humain. En réduisant au plus juste les mutineries, il ne faisait que payer les erreurs d'un autre. Qui aurait pu lui en vouloir ? N'avait-il pas tout fait pour rassurer le soldat commotionné par le massacre du Chemin des Dames jusque à se permettre, après la fin des mutineries, deux petites offensives à dix contre un, pour « restaurer le moral », sur des secteurs limités, déjà dans l'optique de la guerre du « zéro mort », la seule dont rêvaient les poilus ?

Il deviendrait difficile de se débarrasser de Pétain s'il multipliait à son tour les erreurs, s'il développait de meurtrières théories défensives. Il personnalisait à ce point la dernière mouture de la mentalité combattante qu'on ne pourrait le retirer sans dommage de l'état-major. Les soldats penseraient aussitôt qu'on projetait de les renvoyer à la boucherie : personnalisation extrême du pouvoir des généraux, déclarés responsables, mais non coupables : on pouvait peser leurs erreurs, éventuellement les muter, mais non les accabler des échecs, ils étaient à jauger, non à juger.

Celui qui dispose des études, des cartes, des services expédiant avant l'aube à chaque unité des ordres précis, dispose à l'armée du vrai pouvoir, et nul autre. On mute plusieurs fois le major général des armées françaises du Nord-Est, considéré comme le bras droit du général en chef et le premier responsable des opérations. La guerre est une série de machineries complexes, qui suppose plusieurs mois d'efforts avant de pouvoir lancer une opération. Ludendorff occupe le pouvoir par sa compétence très supérieure à celle de son vénérable chef, Hindenburg. Il fonctionne comme un moderne technocrate, entouré de cartes, de fiches, de statistiques.

Pour lui, l'armée allemande n'est pas vaincue le 8 août 1918 par d'héroïques coups de boutoir, par une valeur supérieure de l'ennemi, mais par un plus grand nombre de divisions et une puissance accrue du feu. Contre les chiffres, on ne peut se battre. Une erreur de manœuvre peut être, certes, fatale, mais beaucoup moins qu'une préparation insuffisante, qu'une capacité trop faible. La force se mesure, avant de se juger.

Au temps du gaz moutarde, du tank, des batteries lourdes mobiles secondées par l'aviation et dirigées par radio, de la grenade offensive et de la mitrailleuse légère, il n'y a plus de valeur militaire ou, plus précisément, cette valeur ne suffit pas à retourner une situation d'infériorité. Pour être un bon général, il faut d'abord savoir compter. La volonté n'est rien sans l'efficacité logistique. La faute est d'attaquer sans en disposer pleinement.

Voilà pourquoi le ministre de la Guerre, fût-il lui-même général, ne dispose d'aucun pouvoir utile puisqu'il n'a ni les cartes ni les fiches. Beaucoup plus important est le ministre de l'Armement, ou les généraux responsables des commandes et des fabrications. Ils doivent être jugés et condamnés si les moyens nécessaires ne sont pas fournis aux lignes au bon moment. Les ministres Thomas et Loucheur sont essentiels au succès des armes, comme les chefs affectés à la fabrication des mitrailleuses, des moteurs d'avions, des Caterpillars pour tracteurs d'artillerie. Le général Étienne, inventeur des chars, doit répondre de l'erreur des premiers engins trop lourds qui s'enlisent.

Il sauve sa réputation et ses initiatives malheureuses en apportant tous ses soins aux chars légers Renault. Les héros morts du commandant Bossut, carbonisés dans leurs mastodontes Schneider et Saint-Chamond, ont fait les frais de ces tâtonnements. On demande également des comptes aux responsables des fabrications de moteurs d'avions, quand ils se laissent distancer par les Allemands. Un surcroît de vitesse ou de maniabilité est décisif pour assurer la survie des pilotes de chasse. Nivelle pouvait ainsi considérer qu'une des causes de l'échec du printemps de 1917 était le retard dans la livraison au front des nouveaux moteurs d'avions et des tracteurs à Caterpillars pour les pièces lourdes.

Certes, la responsabilité des livraisons de matériel et de munitions reposait sur la logistique de guerre, mais, en premier chef, dépendait des ministères et secrétariats d'État créés pour obtenir l'assurance que les moyens ne manqueraient pas. La responsabilité était donc partagée entre les deux pouvoirs sur le point capital des fournitures de guerre.

Une défaite, un échec pouvaient dépendre au premier chef de l'insuffisance de l'armement en ligne et des moyens logistiques. En Allemagne, le grand état-major coiffait toutes les questions, y compris les administrations civiles concernant la guerre. En France les pouvoirs restaient séparés. Millerand, ministre de la Guerre, avait dû partir sous les effets d'une campagne qui l'accusait d'avoir fourni au front des ressources en artillerie lourde insuffisantes. La dilution de la responsabilité évacuait, de ce point de vue, la mise en question de la seule logistique militaire. Le ministre partait, mais les bureaux gardaient leur pouvoir. Il était plus facile de chasser Millerand que son directeur de l'artillerie.

Le commandement en chef devait s'assurer qu'il disposait des moyens nécessaires à la défense ou à l'offensive. Le Kaiser fit ainsi grief à Moltke II d'avoir détourné des effectifs du front de France pour les expédier par chemin de fer en Russie, permettant à Joffre de réussir sa manœuvre. On reprocha à Joffre d'avoir saigné à blanc l'infanterie française à Verdun, parce que les disponibilités en artillerie lourde avaient été expédiées sur la Somme en vue d'une offensive franco-britannique prévue pour juillet. Cette erreur et l'échec de l'offensive furent, entre autres, à l'origine de son limogeage.

L'ouverture de la guerre en Orient à partir de 1915 suscitait des divergences d'opinion graves entre hauts responsables politiques et militaires, en France comme en Angleterre. Sur ces fronts, la guerre dépendait exclusivement d'une volonté politique qui n'appartenait pas aux généraux. Si Lloyd

George voulait affecter en 1918 en priorité les unités aux deux armées de Mésopotamie et de Palestine, il se refusait à renforcer le front de Salonique, que Joffre, hostile à l'expédition imposée par Briand, avait toujours traité en parent pauvre. Une des auditions du comité secret de la Chambre serait consacrée à la responsabilité du commandement français qui avait expédié des divisions en Grèce, ce royaume hostile à la France qui ne voulait pas permettre à nos troupes de quitter le camp retranché de Salonique. Mais le front d'Orient était une initiative politique de Briand et Joffre avait la partie belle à la combattre.

De la sorte les généraux en chef étaient jugés moins sur telle opération, même meurtrière, décidée sur le front de France, que sur l'ensemble de la stratégie de guerre, qui était pourtant de plus en plus de la responsabilité du pouvoir politique. Il obtiendrait à plusieurs reprises le changement du commandant en chef à Salonique mais aussi celui du généralissime.

Il devenait impossible de pénaliser les généraux. Que devenait le dogme de l'indépendance du haut commandement ? Dès l'arrivée au pouvoir de Briand, en octobre 1915, un pouvoir politique incertain, mais insinuant, taillait constamment des croupières au généralissime et donnait en fait des directives de guerre incontournables qui rendaient impossible tout jugement porté sur l'action uniquement militaire. La politisation de la guerre, largement due à son internationalisation, rendait difficile toute mise en accusation des généraux en chef.

Du moins pouvait-on chercher noise aux généraux d'un grade inférieur, coupables d'avoir mal exécuté les ordres, ou d'avoir pris des initiatives malheureuses. Le général rendant la place de Maubeuge, ou le général responsable des forts de Verdun : seul Joffre était responsable et capable de sanctionner les défaillances.

En août 1914, on engageait les généraux à la retraite, on nommait les colonels à la tête des brigades : cent soixante-cinq généraux devaient être nommés pour commander seulement les divisions. Le vieux général Brugère avait soixante-treize ans, Bailloud soixante-huit, Manoury soixante-sept. Le colonel Pétain, à cinquante-huit ans, quitterait son régiment pour prendre la tête d'une brigade. Après les premières batailles Joffre limogerait à tour de bras. Les défaillances étaient le motif principal, mais il y avait souvent faute grave, et jamais les chefs ne devaient passer en conseil de guerre ou en cour martiale. L'état-major de l'armée avait pour principe de soutenir le moral du poilu en évitant de juger les généraux. Comment reconnaître que l'on avait recruté à tour de bras des incapables ou des inaptes ?

Mettre en question les généraux revenait à encourager le soupçon sur la valeur des chefs de l'état-major. Joffre avait recruté des vieillards, il était responsable. Ils avaient mal exécuté ses ordres, renoncé au combat, abandonné leurs troupes sans directives claires ? Ils pouvaient invoquer la surprise du feu, l'absence de renforts d'artillerie, la débandade des troupes. On ferait ainsi le procès du 15e corps de Marseille, rendu responsable de la défaite de Lorraine en 1914. Jamais les généraux commandant les grandes unités ne seraient mis en question publiquement. Ils seraient seulement mutés, ou rayés des effectifs, ou affectés à des commandements de l'arrière.

Il y eut cependant des cas flagrants, où la commission d'enquête, sinon la cour martiale, devait être réunie. L'abandon des places, le refus d'exécuter les ordres, la panique dans la retraite, étaient des motifs suffisants pour que le chef coupable fût soumis à un jury. Mais le commandement n'a jamais accepté, qu'un général fût rendu responsable et jugé par un tribunal. Jusqu'au bout l'armée garderait la maîtrise de l'autosanction des mauvais chefs.

Les généraux commandant l'armée française ont très souvent été l'objet de mises à l'écart de l'armée, de retrait du front, de mutations dans des postes lointains. Si l'on prend la liste des maréchaux de la Grande Guerre, ils ont presque tous connu la disgrâce, le placard, l'oubli momentané ou définitif. Des huit maréchaux de la Première Guerre mondiale, trois ont été nommés à titre posthume. Maunoury avait perdu un œil au front. Gallieni avait lancé les taxis de la Marne, Lyautey le Marocain avait donné un royaume à la France.

Des cinq autres maréchaux, aucun n'avait ignoré, à des titres divers, la disgrâce et le retrait du front. Fayolle avait été limogé après le désastre de la Somme, et expédié sur le front italien. Foch, également retiré du front, était sans affectation précise autre que d'envisager les possibilités de lutter contre l'invasion de la Suisse par les armées allemandes. Pétain avait été promu à un grade supérieur, mais sans moyens d'action directe sur le champ de bataille de Verdun. Avant de recevoir la disgrâce de son maréchalat, Joffre n'avait pas eu le temps d'expédier en Orient Franchet d'Esperey. Il y partit en juin 1918, abandonnant le front français à la veille des batailles décisives, celles de juillet et août 1918, celles de Pétain, Foch, Fayolle et Mangin revenus en grâce.

La valse des futurs maréchaux a commencé en 1916. Joffre en fut la première victime, au mois de décembre. En 1918, seuls Foch et Pétain recevaient le bâton, et Clemenceau se faisait tirer l'oreille pour l'accorder à l'« apaiseur » de l'armée, au temporisateur chéri de Paul Painlevé. Il pensait que ce titre impérial ne convenait pas à des généraux de la République. Foch lui-même, auréolé par les dernières victoires de la guerre, n'était-il pas honoré d'un titre excessif uniquement justifié, aux yeux du Tigre, par le fait qu'il existait des maréchaux britanniques ?

Les autres maréchaux devraient attendre 1921 et même 1923 pour accéder au titre. En couronnant de feuilles de chêne, après leur mort, Gallieni et Maunoury, on dépeçait la gloire du vainqueur de la Marne en haussant le mérite du combattant de l'Ourcq et la courageuse lucidité du commandant du camp retranché de Paris. On satisfaisait aux exigences de la guerre des clans, plus redoutable que les tranchées pour les généraux-maréchaux.

Joffre avait donné lui-même l'exemple de la valse des généraux. Il avait changé les titulaires d'armée, de corps d'armée, de groupes d'armées, de divisions, de brigades, sans la moindre hésitation, à la première faute manifeste. En 1914, il écarte ainsi définitivement de l'ordre de bataille Charles Louis Marie Lanrezac, ancien professeur à l'École de guerre. Il lui met sur le dos la défaite de Charleroi, bien qu'il ait été vainqueur à Guise. Il retire son commandement au chef de l'armée d'Alsace. Ruffey est envoyé à la retraite pour incapacité. Fernand Armand de Langle de Cary, gentilhomme breton, blessé à Buzenval en 1870 et devenu membre du Conseil supérieur de guerre en 1912, est d'abord chargé du commandement de la 4e armée. Sa fermeté permet à Joffre et à Foch de gagner la victoire de la Marne : le voilà propulsé au groupe des armées du Centre. En 1916, sa gloire reconnue ne lui évite pas la disgrâce, il est expédié en Afrique du Nord pendant la bataille de Verdun.

Rien n'empêche les généraux disgraciés d'être un jour rappelés au front : Chrétien, écarté de Verdun, revient en 1918. Pétain en disgrâce reste disponible pour d'autres commandements, et même pour les plus prestigieux. Lanrezac est éliminé sans appel. Mais Sarrail est mieux traité. Ce général passait pour un politique, ayant servi comme officier d'ordonnance auprès du général André en 1900. En 1914, il avait d'abord pris le commandement d'un corps, puis de la 3e armée. Il avait été presque constamment en conflit avec Joffre. Disgracié, il avait été expédié en Orient à la tête du corps expéditionnaire de Salonique, on lui avait confié la tâche ingrate de faire respecter l'uniforme français en Grèce. Le général Sarrail devait être définitivement limogé, sans recevoir d'autre affectation avant 1924 où il succéda à Weygand comme haut-commissaire en Syrie. Ainsi la valse des généraux commençait au sommet.

Mais aussi à la base, au niveau des brigades et des divisions. Joffre ne plaisante pas. Le moindre fléchissement dans la conduite d'un état-major de brigade est immédiatement sanctionné par le départ du responsable, sa mutation à l'arrière du front ou sur d'autres théâtres d'opérations.

Les généraux de division sont soumis à une continuelle noria, soit qu'ils obtiennent, pour leurs résultats au feu, une promotion « sur le tambour », soit qu'ils soient rendus responsables d'un échec, et discrédités pour le reste de leur carrière, attendant désespérément une seconde chance. Dans les témoignages écrits des officiers supérieurs, nombreux sont les cas de mutation ou de retrait d'un divisionnaire en pleine campagne, face à l'ennemi.

L'instabilité du commandement est réelle, et n'a pas

que des effets heureux. Les nouveaux promus ont hâte de se mettre en avant aux yeux de l'état-major général par des changements positifs obtenus sur les lignes, par des attaques répétées et couronnées de succès qui les signalent à l'attention des supérieurs. On ne favorise pas seulement, par les mutations accélérées, le comportement responsable des chefs, mais aussi leur ardeur au combat, leur soif de réussir, au risque de leur permettre d'engager des opérations mal préparées, meurtrières, ou seulement dispendieuses. Aussi la tendance, après les grandes hécatombes, est-elle de rechercher des commandants d'unités plus soucieux des effectifs. A l'agitation des débuts succède donc la très relative sécurisation des divisionnaires, désormais choisis pour leur « sang-froid ».

Ils cherchent naturellement à se protéger des coups du sort en entrant dans le clan d'un général de niveau supérieur. On parle ainsi des hommes de Foch, ou de Pétain. Cela ne signifie pas seulement que la protection de ces caciques est recherchée, mais qu'on accepte leurs idées tactiques, qu'on s'engage à suivre leurs directives avec la dernière fermeté. Il devient tout aussi difficile d'envisager une offensive sous Pétain que de pratiquer le recul stratégique sous Foch. On transporte au front les idées du cénacle.

Le poids de la coterie politique en vogue devient déterminant pour les disgrâces, comme pour les nominations. On dit que Joffre traite les gens de pouvoir avec une certaine rudesse, qu'il ne sait pas avancer ses pions pour faire accepter une stratégie par l'arrière. C'est faire bon marché de ses capacités d'action sur le milieu politique, attestées dans les mémoire de Poincaré. Non seulement Joffre ne néglige pas le pouvoir, mais il discute pied à pied ses projets pour les faire avancer dans les instances supérieures de la guerre, et il protège avec acharnement ses options en résistant de son mieux aux injonctions répétées des politiques. C'est même la raison fondamentale de son limogeage. Il a fait de l'état-major un pouvoir avec lequel il faut compter. Il n'a cependant pas réussi à défendre sa citadelle.

Nivelle, son successeur, ne néglige rien pour faire d'abord la conquête du milieu politique dont il sera la première victime. Pétain est imposé en 1917 par le radical de gauche Paul Painlevé. Les liens entre la politique et le commandement sont si étroits qu'on emploie les méthodes politiciennes pour se débarrasser d'un général en chef comme d'un ministre de la Guerre.

On peut limoger, mais il est interdit de juger les militaires. En aucun cas il n'est question de faire passer en jugement des généraux dont on estime la conduite coupable ou douteuse. Au mieux, ils sont conduits à comparaître devant une commission ou un comité composés de leurs pairs, dont les avis sont décisifs, indiscutés. Le pouvoir militaire refuse de se soumettre à l'incursion directe des politiques et des tribunaux de la République.

Impunité ? Sans doute, au sens juridique. Mais nombre de généraux de la Grande Guerre sortiront de l'épreuve affaiblis, ruinés moralement, leur carrière interrompue avec brutalité, sans autre ressource pour rentrer en grâce ou obtenir justice que le recours très aléatoire au pouvoir politique, rarement efficace. Ainsi Mangin sera-t-il de nouveau chargé d'un commandement, après l'affaire du Chemin des Dames, mais non Nivelle.

Pourtant, la part prise dans les décisions de guerre par le pouvoir politique, sans aller jusqu'au détail des opérations, s'est constamment accrue

Un ministre de la Guerre aura l'autorité nécessaire pour imposer à un général en chef la modification de mesures prévues sur le terrain, comme Painlevé en 1917 dans la Montagne de Reims. Il n'était naturellement pas question de faire passer les hommes politiques devant la haute cour pour des échecs répétés sur le front, dus à leurs directives ou à leur impulsion, alors qu'ils étaient à l'origine des offensives programmées, en étant les instigateurs, ou les complices. La sanction était simple : ils devaient être écartés du pouvoir, pour permettre une reprise en main du commandement et une orientation différente de la guerre.

Il est donc possible de relier constamment, dans les affaires de responsabilité, celle des hommes politiques et celle du pouvoir militaire de décision. Jamais la France n'a connu, comme l'Allemagne, de dictature militaire de guerre. Au plus, pendant la bonne période Joffre, le commandement a-t-il bénéficié d'une longue phase d'indépendance où il était en mesure d'écarter toute incursion du pouvoir civil au nom du secret nécessaire aux opérations. Mais la prolongation de la guerre a changé les termes du rapport, pour aboutir à une dictature de fait, celle de Clemenceau, capable de s'imposer au milieu politique, mais aussi aux généraux eux-mêmes.

Il n'est donc pas si simple de dégager clairement, nominalement, les responsabilités des erreurs et des fautes commises, puisqu'elles étaient partagées. A aucun moment les chefs d'unités limogés, même au sommet comme Nivelle, n'ont fait l'objet de procès judiciaires ou de condamnations. La République a toujours considéré qu'il était de son devoir de protéger, même malheureux, même coupables, les chefs de son armée. Faut-il lui en tenir grief et tenter de rouvrir le procès de l'Histoire ?

CHAPITRE I

Être général en août 1914

Le ministre de la Guerre qui signe la mobilisation du 1er août 1914 n'est pas général. C'est un ancien militaire, sorti de l'école de Saint-Cyr, démissionnaire de l'armée à la fin de l'affaire Dreyfus. Adolphe Messimy, né en 1869, a été élève à l'École de guerre, de 1894 à 1896, il a suivi les cours de « tactique générale » de l'éloquent lieutenant-colonel Foch et apprécié la « parole narquoise et cinglante » du commandant Lanrezac. Ancien chef d'un bataillon de chasseurs alpins, affecté à l'état-major du général Zédé, patron du 14e corps alpin, il n'a jamais connu les « coloniaux », Joffre, Lyautey et Gallieni.

Messimy a donné sa démission d'officier avant de se faire élire au Parlement, pour « réconcilier, dit-il, l'armée avec la nation. » S'il n'est pas franc-maçon, sa carrière est entièrement due aux radicaux maçons. Camille Pelletan, le premier, lui a donné sa chance en lui permettant d'être élu député du XIVe arrondissement de Paris. Rapporteur des budgets de la Marine, de la Guerre et des Colonies, créateur du Conseil supérieur de la Défense nationale qui ne fut pratiquement jamais réuni de 1906 à 1911, hostile à l'anticlérical président du Conseil Émile Combes en raison de l'affaire des Fiches qui désorientait l'armée, il sera ministre des Colonies dans la cabinet du franc-maçon Monis en mars 1911, puis ministre de la Guerre dans le gouvernement du radical Joseph Caillaux.

Ministre patriote mais radical, il ne souhaite pas accroître les charges militaires pesant sur les jeunes Français. En charge du département des Colonies, il se préoccupe d'y lever des contingents plus importants de troupes, notamment en Afrique du Nord, et cherche à imposer aux PTT la création d'un réseau mondial français de TSF permettant de communiquer rapidement avec les colonies, les câbles sous-marins étant sous monopole britannique.

C'est surtout au ministère de la Guerre que le président du Conseil Joseph Caillaux entend que Messimy donne sa mesure. Il vient de faire nommer l'ancien polytechnicien Joffre général en chef, avec autorité sur l'état-major dirigé par le général de Castelnau. Joffre et Castelnau, l'eau et le feu, le maçon et le jésuite : de quoi rassurer les cadres de l'armée, le commandement ne sera pas politique, ou du moins pas d'un seul côté.

La crise d'Agadir exigeait un prompt changement au sommet de l'état-major. Les Allemands venaient d'envoyer au large du port un bâtiment militaire, grave menace pour les intérêts français au Maroc : en juillet 1911, la France gouvernée par Joseph Caillaux était au bord de la guerre et le général en chef Michel ne faisait pas l'unanimité. Il était urgent de ressouder, de muscler le haut commandement.

Joffre raconte à sa manière sa propre nomination : commandant le 2e corps d'Amiens en 1909, sa compétence d'officier du génie polytechnicien l'avait d'abord fait nommer directeur de l'arrière par le général Brun, esprit sceptique bien connu de

Messimy, qui avait été son élève à l'École de guerre. Joffre était ainsi devenu membre du Conseil supérieur de la Défense nationale. Il avait pu faire connaître ses vues sur les insuffisances des places de l'Est, sur la nécessité de mettre en œuvre une artillerie lourde mobile. Il réfléchissait avec les généraux Pau et Léon Durand à la doctrine de l'« offensive-défensive » qui posait un sérieux problème d'organisation des chemins de fer.

Le général Michel, vice-président du Conseil de la Défense, qui était hostile aux canons lourds, misait exclusivement sur le 75 et réalisait le plan XVI de concentration défensive sur la frontière du Nord-Est, avant l'offensive projetée sur ce terrain dès que l'attaque des Russes obligerait les Allemands à dégarnir le front français.

Pour mieux résister au premier choc, il avait imaginé la formation de brigades de régiments d'active et de réserve, ce qui doublait les effectifs. Mais les généraux de droite du Conseil, hostiles à la doctrine de gauche de la *nation armée*, ne voulaient pas entendre parler des réserves en première ligne. Pour cette raison, le général Michel avait été désavoué dans la presse militaire spécialisée et dans les journaux du centre droit et Joffre sous-entendait que le ministre Messimy, pour se débarrasser du gêneur, avait lui-même informé les journalistes du différend.

Michel démissionnaire, on n'avait pas véritablement le choix entre Pau, Joffre et Gallieni. Le général Pau s'était éliminé de lui-même en refusant tout contrôle par le gouvernement des nominations de généraux, qui devaient, à son sens, lui revenir exclusivement. Joffre ne dit pas un mot dans ses *Mémoires* de la candidature Gallieni, pourtant poussée par Caillaux. Il avait, au contraire du général Pau, accepté l'idée que le chef d'état-major de l'armée, le général Dubail, franc-maçon comme lui, nommerait les officiers supérieurs en liaison avec le ministre dont il dépendait directement. A ce prix, il aurait obtenu sa nomination.

Il avait certes voix au chapitre pour la désignation de son major général en temps de guerre mais la décision revenait au ministre Messimy, et il devait décider tout de suite : trois noms dans le chapeau, Foch, Lanrezac, Castelnau. Foch était écarté par les « préventions » de Messimy qui refusait de lui donner sa troisième étoile. Il ne devint général de division que sur l'insistance de Joffre. Première indication claire sur les tendances politiques qui affectaient le haut commandement de l'armée.

En dépit de ses talents de professeur de stratégie, Lanrezac avait été exclu par Joffre lui-même, qui lui aurait préféré Castelnau pour des raisons professionnelles : le général avait travaillé au plan XVI et connaissait mieux les rouages de l'état-major de l'armée. Joffre avait donc été nommé par Messimy en même temps que Castelnau au *Journal officiel* du 28 juillet 1911, Caillaux étant président du Conseil. « J'ai toujours pensé, écrit Joffre, que le gouvernement avait été assez satisfait de cette coïncidence qui permettait de démentir les bruits qui donnaient une couleur politique au choix dont je venais d'être l'objet. » A Caillaux qui lui demandait, au plus fort de la crise d'Agadir, si la France avait 70 % de chances de victoire au cas où elle serait acculée à la guerre, Joffre répondait franchement par la négative. En 1911, les généraux commandant l'armée française étaient conscients de son infériorité manifeste, tant en effectifs qu'en armements.

S'était-elle améliorée suffisamment pour qu'on pût envisager la guerre trois ans plus tard ? L'ex-capitaine dreyfusard Messimy ne reste pas longtemps en charge, avec Joffre, de la réorganisation de l'armée. Les mutations de cabinet sont rapides avant 1914. D'autres ministres de la Guerre vont se suivre, au hasard des changements de cabinet. Par paliers successifs, le commandement de Joffre va se concentrer jusqu'à réunir tous les pouvoirs, avec l'assentiment des politiques.

Il fallait muscler l'état-major de l'armée (c'est-à-dire l'administration de la guerre) dont les officiers étaient, disait Messimy, « groupés par affinités de tendances et surtout de doctrines », divisés en chapelles dont la plus illustre était celle du chef de bureau des opérations, le colonel de Grandmaison. Joffre avait été nommé chef de l'état-major général. Il avait devant lui un chef d'état-major de l'armée, le général Dubail, désormais placé sous son autorité, sauf pour les nominations qui dépendaient du ministre.

Il n'y avait donc plus de dualité du pouvoir. Le premier sous-chef d'état-major général, Castelnau, deviendrait en cas de guerre le major général des armées, directement auprès de Joffre. Le Comité d'état-major, chargé des inspections, était rattaché à Joffre ainsi que le Centre des hautes études militaires (censé préparer les futurs chefs d'état-major d'armées) et l'École supérieure de guerre, où s'élaboraient les doctrines de stratégie et de tactique.

Restaient les directions d'armes, l'artillerie, le génie, la cavalerie, l'infanterie, chargées en particulier de la définition des matériels. Elles dépendaient encore directement du ministre. Leur indépendance vis-à-vis du futur généralissime en matière d'artillerie surtout était « regrettée » par

Joffre. Le ministre tenait à garder ce pouvoir, qui avait d'importantes conséquences budgétaires. Les choix opérés, en liaison avec les finances, étaient décisifs. Il ne pouvait, devant le Parlement, les déléguer. Ils étaient l'objet d'un débat permanent et ils ne sauraient être abandonnés à des militaires qui donnaient seulement des avis techniques sur les différentes armes. Des avis au demeurant fort controversés.

Pour l'artillerie lourde surtout, dont l'absence est largement responsable des massacres survenus lors des batailles de frontière. Messimy affirme [1] qu'il savait parfaitement que l'Allemagne armait ses corps de bataillons d'obusiers lourds de 105 et de 150. Mais les officiers de la 3e direction de l'artillerie (qui dépendaient pourtant de lui) refusaient la mise à l'étude des armes lourdes. Le général Michel partageait l'hostilité des bureaux à la multiplicité des calibres, le 75 devait suffire à tout. Conscient de cette faiblesse, le ministre Messimy avait fait prendre au Conseil la décision de mettre en fabrication des canons lourds. Puisque les arsenaux d'État étaient incapables de les construire, il fallait distribuer les commandes de prototypes au Creusot et à Saint-Chamond, des entreprises privées.

Le général de Lamothe, un expert pour l'artillerie, était nommé par le ministre président d'une commission d'expériences qui bientôt recevait les modèles réalisés au Creusot. Messimy dégageait un crédit de 86 millions pour la fabrication des canons lourds et annonçait au début de 1912 la perspective de réalisation du programme. Mais, le 12 janvier 1913, le cabinet Caillaux tombait et les

1. Général Messimy, *Mes souvenirs*, Paris, Plon, 1937, p. 82.

bureaux de l'artillerie enterraient le projet des pièces lourdes.

Ces officiers fonctionnaires, sûrs de leur bon droit et de la valeur de leur théorie offensive liée à l'emploi exclusif du canon de 75, engageaient une campagne contre Millerrand, successeur de Messimy à la Guerre, à son tour rallié à la mise en fabrication d'un canon de 105 à tir rapide. Ils faisaient savoir qu'une plaquette miraculeuse, dite *malandrinette*, du nom de son inventeur, le commandant Malandrin, permettrait au 75 d'effectuer un tir plongeant, et qu'il était inutile de s'encombrer de nouveaux modèles.

Ainsi le ministre Messimy, dans ses Mémoires, rejette-t-il la responsabilité sur les bureaux de la Guerre — ses propres bureaux — et notamment sur le service de l'artillerie que lui-même et son successeur Alexandre Millerand gardaient pourtant à leur disposition, au lieu de les déléguer à l'autorité du chef d'état-major, généralissime en temps de guerre. Il avait en effet supprimé le poste de chef d'état-major de l'armée. Joffre avait acquis presque tous les pouvoirs. Mais non celui d'en imposer au service de l'artillerie, qui dépendait toujours directement du ministre.

Le plaidoyer *a posteriori* de Messimy souligne avec complaisance tous ses efforts pour obtenir la mise en fabrication de différentes pièces d'artillerie lourde et celle de mortiers de tranchée dont il apprit en 1913 l'existence dans l'armée allemande. Il ne put entrer en guerre qu'avec un matériel insuffisant et dépassé. Sa responsabilité politique est manifeste, en dépit de ses bonnes intentions.

Aucun des ministres de la Guerre successifs n'avait jugé utile et possible de doter le futur généralissime d'un pouvoir de décision clair sur les services de fabrication des armes de guerre. Ces experts qui jouissaient de bonnes relations dans la presse et dans les commissions parlementaires, avaient donc gardé tous les moyens de mener leur politique de taupe en faveur du 75 présenté comme la panacée universelle. Le matériel moderne que Joffre avait fini par commander au compte-gouttes, faute de crédits, n'interviendrait qu'après les débuts meurtriers du conflit. L'absence d'artillerie lourde mobile et rapide causa des deuils sans nombre dans les unités d'infanterie. Ni les politiques ni les généraux du haut commandement n'ont trouvé d'autre défense que d'en accuser le service de l'artillerie.

En août 1914, un seul corps d'armée français ne disposait que de 120 canons de 75, alors que son homologue allemand accumulait, outre 108 canons de 77, 36 obusiers de 105 et 16 obusiers lourds de 150. Avec 848 pièces lourdes mobiles, le tir allemand était écrasant au début du conflit. La faute des bureaux de la Guerre, dépendant directement du ministre, était manifeste. Qui leur a demandé des comptes ? Quand a-t-on dégagé les responsabilités ? Beaucoup plus tard, après les premiers massacres.

Le général Herr, envoyé en observateur dans la guerre des Balkans, avait publié en février 1913 un article en faveur de l'artillerie lourde, seule capable d'intervenir efficacement contre l'ennemi « comme un duelliste muni d'une grande rapière sur un adversaire équipé d'une épée de cour ». La polémique engagée par le milieu militaire avait retardé indéfiniment les mises en fabrication. Impressionné par la campagne des experts et toujours soucieux de ménager les budgets très lourds de la Guerre et de la Marine, le Parlement avait refusé en février 1913 le crédit somme toute modeste de 80 millions proposé pour l'artillerie lourde, abusé par la « réclame habile », écrit Joffre [1], en faveur du 75, rénové par le commandant Malandrin. Le général en chef confie, beaucoup plus tard, qu'il ne partageait pas cet « engouement » pour la malandrinette, il suivait le général d'artillerie Ruffey quand celui-ci osait affirmer : « La supériorité adverse sera écrasante. » S'il avait publié une note optimiste en janvier 1914 sur l'armement de l'armée, c'était, dirait plus tard Joffre, « pour éviter le découragement ». Il n'avait pas les moyens de passer outre la résistance d'un service, qui jouait de la presse, de la politique, des ministres successifs pour se dérober au devoir dont l'avenir immédiat dirait assez qu'il était essentiel : constituer une artillerie lourde d'attaque.

Du moins Joffre veille-t-il à ce que chacun des 3 900 canons de 75 disponibles pour l'ensemble des unités du front français soit pourvu d'une réserve de guerre de 1 500 obus. L'expérience des manœuvres en temps réel montrait que les réserves de munitions, si l'on voulait que l'infanterie fût effectivement soutenue, devaient être portées à 3 000 coups par pièce.

A la veille de la mobilisation, les 75 des batteries volantes ne peuvent compter que sur 1 390 obus. Le parc des 75 ne permet donc pas, comme le souhaite le généralissime, de compenser notre infériorité « en nous réservant la possibilité de tirer un plus grand nombre de coups de canon par pièce ». Il n'est pas question de pouvoir appuyer l'infanterie « par un ouragan de projectiles ». Joffre doit se battre pour que l'industrie privée fournisse 3 000 obus d'appoint par jour, chiffre assez modeste au regard des besoins.

1. Maréchal Joffre, *Mémoires*, tome I, Paris, Plon, 1932, p. 69.

Il sait parfaitement que la doctrine de l'offensive ne peut être soutenue que par la fourniture suffisante du matériel de guerre et des munitions. Il a le plus grand mal à les obtenir. En insistant sur cette nécessité vitale négligée par les commissions parlementaires des Finances et de la Guerre, Joffre se disculpe. Il a accepté d'entrer en guerre avec des moyens réduits. Avait-il le choix ? Personne ne peut lui en faire grief : les Prussiens entraient en Belgique.

Première défense de Joffre : il n'est pas responsable. Il est pris dans un système où les fabrications de guerre lui échappent, parce que le pouvoir politique a conservé la main sur elles et qu'il n'a pas fait plier les services. Ainsi les premiers désastres ne sont pas de son fait. Il a tout tenté pour organiser au mieux les maigres moyens dont il disposait. S'il n'a pu faire plus, ce n'est pas faute d'avoir lutté. Il avait devant lui, non pas seulement des hommes décidés à résister, mais une doctrine militaire et rien n'est jamais plus dangereux qu'une doctrine de professeur de stratégie pour la défense nationale. Joffre pouvait écarter Foch — le plus en vue des enseignants — du haut commandement de l'armée, il ne pouvait rien contre la doctrine de l'offensive enseignée et défendue à l'École de guerre par tant de têtes couronnées de lauriers.

Car il y a une doctrine, du latin *docere* : enseigner. La guerre est préparée par des professeurs de stratégie. Les exagérations du colonel de Grandmaison font tiquer Joffre, qui se résout à substituer à la doctrine défensive qui prévalait jusqu'alors une conception de l'offensive, prudente et réfléchie qu'il fait entrer dans les textes : un décret portant *Règlement sur le service des armées en campagne,* signé le 2 décembre 1913 par le nouveau président de la République Raymond Poincaré précédait un nouveau *Règlement de manœuvre de l'infanterie*, du 20 avril 1914 dont Joffre était l'unique promoteur.

Ainsi il embouchait, lui aussi, et d'un cœur lourd, la trompette de l'offensive puisqu'elle était exigée par le courant politique issu de la crise d'Agadir. C'est juré, on ne « subirait plus les initiatives de l'ennemi ». Mais les cadres devaient « saisir les exigences » de l'offensive, notamment la nécessaire et intime union de l'infanterie et de l'artillerie sur le terrain.

Les manœuvres périodiques avaient mis en évidence les défaillances. Les états-majors d'armée, et même de corps d'armée, dirigées par des généraux comme Anthoine ou Demange, Castelnau, Langle de Cary, Lanrezac, Ruffey, Dubail, Sordet, entraînés sans relâche pendant deux ans par les exercices imposés de Joffre, fonctionnaient assez bien, mais les défaillances tactiques lors des grandes manœuvres étaient nombreuses et aveuglantes aux yeux des attachés militaires allemands.

En vain, Joffre et Messimy avaient-ils tenté d'éliminer les chefs les plus inaptes au service en campagne. L'épuration du commandement ne pouvait être brutale, parce qu'on manquait de généraux pour encadrer la nation en armes dans la mobilisation de masse. L'état-major pouvait se renouveler sans trop de peine au sommet, au niveau des grandes et petites unités, il faudrait patienter.

« Les cadres, dit Joffre, n'avaient pas encore compris les nécessités offensives. » Ils étaient en outre assurés de ne pas disposer des secours d'artillerie nécessaires. Cadres insuffisants pour une troupe « ardente, entraînée » : telle est la conclusion rétrospective de Joffre. Comment accepter la guerre dans ces conditions ? Il n'avait pas le choix. On ne pouvait lui en faire le reproche. Aux politiques la responsabilité d'avoir entraîné dans les batailles meurtrières une armée qui, loin d'être à la hauteur d'un plan offensif, ne pouvait même pas faire face à l'attaque allemande.

Joffre n'a pas eu le temps, il s'en confesse, d'entraîner vraiment ses généraux « paralysés par des habitudes routinières », à la nouvelle doctrine de guerre. Les règlements étaient « encore à l'étude » et les manœuvres peu convaincantes, à l'approche du conflit.

Du moins a-t-il pu obtenir les effectifs nécessaires, grâce à la loi de trois ans et au renfort des troupes d'outre-mer. Malgré l'opposition des colons, qui redoutaient la présence sur leur sol de cent mille musulmans sous les armes en permanence, le système de la conscription fut instauré en Algérie et en Tunisie, et le Maroc et l'Afrique noire livrèrent des contingents. Mais les cadres faisaient défaut. Des généraux étaient nécessaires pour encadrer les deux ou trois divisions de réserve levées dans chaque région militaire, dans le cadre du plan XVI du général Michel.

Les Allemands enverraient en France soixante-cinq divisons dont un tiers de réserve. Joffre devait immédiatement prévoir une extension du plan pour lever au moins soixante-trois divisions dont quatre groupes de réserve et porter en France le 21e corps d'Afrique du Nord. Encore faut-il accueillir et entraîner ces réserves (convoquées en temps de paix pour des « périodes » réduites) dans des camps militaires.

Les huit camps construits sur le territoire ne sont pas achevés en 1914. La seule dépense consistant à bâtir deux camps d'au moins 6 000 hectares à Mailly et à Châlons, de créer, d'agrandir et d'équiper dix camps de la dimension d'une division dont La Courtine, Coëtquidan, Sissonne et Valadon, d'utiliser encore les camps de Larzac et de Souge, en dépit de leur insuffisance, supposait un crédit d'aménagement de 135 millions sur sept ans. D'abord consenti, ce crédit devait être remis en question par le budget en 1912 et difficilement rétabli depuis.

Le programme devait être achevé en 1918. En 1914, il fallut faire flèche de tout bois pour entraîner les réservistes, rendus plus nombreux, ainsi que le contingent d'active, par le vote de la loi des trois ans. L'introduction tardive de cette loi dans les textes rendait urgente une préparation de l'armée à la guerre qui ne pouvait être que brouillonne.

Joffre manquait-il de crédits ? Il affirme [1] que l'opinion, mal informée, « aurait dû exiger plus tôt la réalisation de l'effort financier devant lequel le Parlement recula trop longtemps, et qui ne fut consenti qu'à la veille de la guerre ». Il met au compte de l'instabilité ministérielle (huit ministres de la Guerre successifs, du 1er janvier 1911 à août 1914) le retard apporté au vote des budgets essentiels. C'est oublier que les crises étaient largement dues au fait que la Chambre, majoritairement hostile à la loi de trois ans, renversait les gouvernements dont les présidents étaient d'abord choisis par Poincaré pour leur adhésion au renforcement des effectifs militaires.

Joffre évoque une « longue période d'utopies pacifistes » et la « chimère de la paix universelle »

1. Joffre, *op. cit.*, vol 1, p. 59.

des années 1900. Mais il ajoute que si le Parlement n'a jamais refusé les crédits, le ministère était obligé « de ne demander que ce que le ministère des Finances, d'accord avec les commissions parlementaires, jugeait possible d'allouer à chaque département »[1]. Les budgets étaient ainsi chaque année soumis aux « combinaisons secrètes » qui présidaient à leur préparation. De la sorte, l'omnipotence des directeurs se substituait à l'impuissance des ministres et ainsi s'explique l'absence d'artillerie lourde de campagne en 1914 et la fourniture insuffisante d'obus de 75, sans parler du manque de cuisines roulantes dans les régiments.

De 1906 à 1910, années de crise internationale, les Français dépensaient en moyenne 95 millions de francs pour leur armée, et les Allemands environ 190. Si les crédits furent finalement obtenus, il était trop tard pour assurer une protection militaire efficace du pays. La France entrait en guerre sans s'y être sérieusement préparée, avec une infériorité manifeste par rapport à son adversaire, alors qu'elle avait développé un armement offensif brillant, et levé une classe supplémentaire, hâtivement instruite, pour faire face à l'invasion. Le général Joffre se défend dans un livre publié en 1932 en accusant les services, les ministères, le fonctionnement et l'orientation du régime. En 1914, il ne songeait qu'à l'exécution possible d'un plan de guerre, avec des moyens qu'il savait limités. Son seul espoir était l'offensive, combinée avec l'entrée en action rapide de l'allié russe.

Ainsi avait-il conçu le plan XVII. Offrait-il la moindre chance de succès ? Joffre confesse une

1. *Ibid.*, p. 45.

erreur capitale : il a pensé jusqu'au dernier moment que les Allemands n'utiliseraient pas leurs unités de réserve en première ligne. Il croyait donc pouvoir équilibrer les forces, même si l'état-major adverse choisissait d'envahir la Belgique et le Luxembourg. Il se trompait. Jusqu'à la déclaration de guerre, il était incapable d'évaluer les forces ennemies concentrées sur les frontières. Le 2e bureau de l'armée n'avait pu le renseigner avec précision, même s'il s'était procuré une esquisse du plan Schlieffen.

Voilà donc un généralissime, présidant aux destinées de l'armée française, qui admet lui-même, avec honnêteté, ses erreurs d'appréciation. Il indique d'abord qu'il n'a aucun moyen de prévoir les mouvements de l'ennemi [1], et qu'il doit concentrer ses forces de telle sorte qu'elles puissent répondre aux initiatives allemandes, tout en assurant les possibilités d'une offensive dans le Nord-Est. C'est une stratégie « défensive-offensive » qui ne vise nullement à l'élimination de l'armée adverse, mais au mieux à son repli sur le Rhin.

Pourtant, de l'avis général, la guerre doit être courte et « tout le monde s'est trompé sur ce point ». Il s'agit donc de hâter la concentration en allant, dit Joffre « à la bataille avec toutes mes forces », la deuxième idée étant de prendre l'initiative des opérations pour éviter une nouvelle invasion.

Rien de comparable au plan d'anéantissement des armées françaises en six semaines prévu par Schlieffen. Joffre n'a pas les moyens d'espérer une telle issue. Dans l'ignorance des mouvements de l'ennemi, il se réserve de diligenter ses troupes vers les points dangereux quand il aura des renseigne-

1. Joffre envisage non seulement la violation de la neutralité belge, mais aussi celle de la Suisse.

ments sur les plans de l'ennemi, qui ne lui parviendront pas avant le dixième jour des opérations.

Il est donc dans l'expectative, et non dans l'initiative. Il en est réduit, dit-il, à une « conception opportuniste ». Il n'a d'autre choix que de concentrer provisoirement ses armées pour répondre à toute hypothèse d'attaque, et pour préserver le territoire français. Il marche avec résolution, mais à l'aveuglette.

Ce plan de concentration est son œuvre, il en revendique l'absolue responsabilité. Il l'arrête dans la solitude de son bureau, « sans qu'il soit possible de lui en demander communication officielle en vue d'une discussion ou d'une approbation ». Il redoute les dangers d'une « ingérence du gouvernement dans les opérations militaires ». Il revendique l'indépendance. Il l'obtient. Nul ne la lui conteste.

Surtout pas le ministre, ancien capitaine de chasseurs à pied. En 1914, Messimy est de retour. Après la valse des ministères qui n'a, insistons sur ce point, qu'une seule cause : le désaccord entre une Chambre de gauche, qui ne veut pas de la loi de trois ans ni de la guerre, et l'hôte de l'Élysée, élu par le centre gauche et la droite réunis, le Lorrain Raymond Poincaré, qui considère la guerre comme inévitable, et veut y préparer le pays. Si Messimy revient rue Saint-Dominique, bien qu'il ait été le collaborateur de Caillaux, c'est qu'il est devenu sans aucune réserve partisan de la loi qui seule peut permettre d'affronter arithmétiquement les grandes unités allemandes accumulées sur le Rhin.

Elle a été décidé le 4 mars 1913 au cours d'une séance du Conseil supérieur de guerre présidé par Poincaré et Briand, Étienne étant ministre de la Guerre, et votée le 7 août par le Parlement. Quand Messimy a été choisi par le président du Conseil

Viviani, Poincaré l'a reçu le 14 juin 1914, quelques semaines après l'élection de la Chambre « Caillaux-Jaurès » en majorité hostile à la loi de trois ans. « Il m'adjure de ne toucher à la loi que d'une main légère », dit-il.

Personne, avant l'attentat de Sarajevo du 28 juin « absolument personne ne se représente comme proche l'éventualité d'une conflagration générale ». Le ministre est chargé d'obtenir le vote des crédits militaires, et de prendre des mesures d'urgence à la frontière quand la crise se précise.

Mais il n'est pas informé du plan d'opérations, alors même qu'il signe, après Poincaré et Viviani, l'ordre de mobilisation, le samedi 1er août à 11 heures du matin. A ses collègues ministres qui « veulent savoir quelque chose », il ne peut rien répondre. Quand il persuade Joffre qu'il a « l'impérieux devoir » de mettre son ministre au courant, le généralissime lui rend visite avec Berthelot, un général d'un poids considérable, plus lourd encore que Joffre, qui a du mal à monter à cheval. Le sous-chef adjoint d'état-major déplie et déploie sur la table une petite carte d'un format de tourisme au 320 000e, sur laquelle il esquisse du doigt le mouvement tournant imaginé pour envelopper la droite allemande sur le cours moyen de la Meuse.

Messimy précise [1] que le « pouvoir civil et particulièrement le ministre de la Guerre, en juillet-août 1914, n'eurent, de près ni de loin, une participation quelconque, si menue soit-elle, à la préparation des opérations groupées sous le nom de " bataille des frontières " ». Pour justifier cette ignorance délibérée, il cite l'exemple de l'impératrice Eugénie qui,

1. Messimy, *op. cit.*, p. 157.

en intervenant en 1870 sur les opérations militaires, a provoqué le désastre de Sedan. « Nous nous en sommes complètement, et peut-être trop, affirme Messimy, remis aux hommes de métier pour assurer la conduite générale de la guerre. »

Joffre est donc seul, avec son état-major et le Conseil supérieur de la guerre, qui lui sert de lien avec le pouvoir civil. Belin, avec Berthelot comme adjoint a remplacé Castelnau, qui a pris un commandement d'armée, le général Pau ayant pris sa retraite. Le général Ebener seconde Belin, prenant la place de Legrand, nommé à la tête du 21e corps en formation. C'est donc au plus six officiers généraux qui ont conçu avec Joffre le plan de guerre que devront exécuter les milliers de soldats mobilisés.

Les généraux du Conseil supérieur de la guerre avaient changé depuis le début de 1914. Présents dans cette assemblée mixte, présidée par les politiques, ils exerçaient aussi des commandements. Gallieni, atteint par la limite d'âge en avril, avait été remplacé par Lanrezac, qui prenait également sa suite à la tête de la 5e armée.

Le général Dubail était à la tête de la 1re armée. Le général de Currières de Castelnau avait pris le commandement de la 2e armée de Nancy. L'artilleur Ruffey, remarquable technicien, disposait de la 3e armée pour investir Metz. A la 4e armée, le général de Langle de Cary était maintenu, à la demande de Joffre, bien qu'il eût dépassé la limite d'âge. Le généralissime appréciait son « caractère droit et ferme » et comptait sur lui pour la manœuvre de changement de front, en cas d'attaque allemande en Belgique. Sa nomination avait provoqué son retrait du Conseil supérieur de la guerre, où le général Valabrègue, commandant d'un simple corps d'armée, le remplaçait provisoirement. Il recevrait prochainement une autre mission : commander un groupe de divisions de réserve, comme le général Archinard, l'ancien patron de Joffre lors de la conquête du Soudan.

Ainsi tous les généraux du Conseil avaient reçu une mission précise : Sordet commandait un corps de cavalerie à l'aile gauche. Seul Laffont de Ladébat, jugé sans doute trop vieux, ou trop mou, ne commandait pas au front. Il était chargé de l'arrière. Le Conseil était éclaté. Tous ses membres ou presque rejoignaient le front. Gallieni, nommé par Poincaré à la demande de Joffre successeur possible du généralissime en cas de besoin, deviendrait bientôt gouverneur militaire de Paris, et chargé du commandement de l'armée dans la capitale, parce que Joffre avait jugé « gênant » de l'accueillir à l'état-major, ayant jadis commandé sous ses ordres à Madagascar.

Le 5 août au matin, Joffre partait en automobile pour son quartier général de Vitry-le-François à la tête d'un état-major d'une poignée de 92 officiers, 534 soldats chargés de la protection et des liaisons, 159 chevaux et 89 voitures dont 82 automobiles. Il avait à sa disposition deux retraités, les généraux Maunoury et Pau. Le major général Belin commandait à deux aides majors, les généraux Berthelot et Déprez et aux officiers des trois bureaux.

Les chefs des cinq armées opérationnelles Dubail, Castelnau, Ruffey, Langle de Cary, Lanrezac étaient, comme le commandant du corps de cavalerie Sordet issus du Conseil supérieur de guerre et familiers de Joffre. Ni Foch, écarté d'office et placé à la tête d'un simple corps d'armée, ni Pétain, ni Nivelle, simples colonels, ne figuraient à l'organigramme du commandement supérieur. Joffre voulait autour de lui une poignée d'hommes sûrs, au courant du plan de concentration, capables dans l'immédiat d'amener leurs troupes au contact de l'ennemi, et d'abord les quelque six cent quatre-vingt-six bataillons, les huit cent cinquante-cinq batteries et les trois cent soixante-cinq escadrons de cavalerie de l'armée en activité, déjà mobilisée.

Il est difficile de trouver des généraux en état de commander pour les unités du front, considérablement renforcées par la mobilisation des classes de réservistes. L'armée française ne repose pas sur une société acceptant facilement la hiérarchie et le devoir d'entraînement militaire, comme l'allemande. L'entrée en guerre de la totalité des Français en âge de porter les armes est une première historique, qui ne va pas sans improvisation.

Si l'on ne peut jurer de la qualité des cadres, officiers et sous-officiers de réserve, il faut à tout le moins nommer immédiatement des généraux. La seule 1re armée de Dubail qui doit entrer en Haute-Alsace ne compte pas moins de trois généraux à l'état-major : Debeney et Demange pour l'aide opérationnelle, Malcor pour les étapes, la logistique de montée au front. Cette poignée de galonnés doit commander à plus de 250 000 hommes et veiller à l'entretien d'une cavalerie de 92 000 chevaux. La 1re armée comprend cinq corps, donc cinq généraux, et chacun des corps regroupe deux divisions à deux brigades chacune, soit trente-sept généraux au total, en comprenant les officiers supérieurs d'artillerie et sans compter les deux généraux commandant les divisions de cavalerie (Levillain, de Lyon, et Aubier, de Dôle) : 39 généraux pour la 1re armée, sans les colonels faisant fonction de brigadiers.

Il faut nommer aussi, quand ils ne sont pas

déjà en place, les chefs commandant aux 314 000 hommes de l'armée Castelnau, qui groupe à son état-major les généraux Anthoine et Lamothe. Outre les cinq corps d'armée, offrant des commandements à onze généraux, l'armée Castelnau comprend le 2ᵉ groupe de réserve commandé par Léon Durand avec trois généraux de division et trois généraux de brigades (les autres étant commandées par de simples colonels) — ainsi que la 2ᵉ division de cavalerie de Lunéville, aux ordres de quatre généraux, et celle de Limoges, avec ses trois généraux, soit au total cinquante-quatre képis aux feuilles de chêne.

La 3ᵉ armée de l'artilleur Ruffey (avec Grossetti à l'état-major et le général de Grandprey aux étapes) semble moins nourrie, avec seulement 230 000 hommes toutes armes confondues, mais, sur ses trois corps, celui de Châlons, commandé par Sarrail, groupe trois divisions (soit dix-huit généraux), un groupe de réserve (Paul Durand) à neuf généraux et le 7ᵉ corps de cavalerie à trois généraux. Les trois généraux de l'état-major de la 4ᵉ armée (Langle de Cary, soutenu par Maistre et Sentis) disposent, pour encadrer 154 000 hommes, de trois généraux de corps d'armée, de six divisionnaires et de onze brigadiers, le douzième étant le colonel Descoings auxquels il faut ajouter trois généraux de cavalerie : 42 galonnés.

Quant à la 5ᵉ armée de Lanrezac, elle est forte de 290 000 hommes et de plus de cent mille chevaux, avec un seul général à l'état-major, Hély d'Oissel. Elle comprend cinq corps d'armée dotés, croit-on, des meilleurs chefs : Franchet d'Esperey pour le Iᵉʳ corps de Lille, Gérard à Amiens, Sauret à Rouen, Defforges à Rennes, Eydoux à Nantes. Cinq généraux qui ont nommé douze généraux de division et dix-neuf généraux de brigade. Cinq colonels ont dû faire fonction de brigadiers, dont Pétain à Arras, sous les ordres de Deligny et de Franchet d'Esperey. Au total 36 généraux, 4 pour la cavalerie de Sedan, 48 en comptant les artilleurs. L'importance de cette armée témoigne des inquiétudes de Joffre sur les mouvements encore inconnus de la progression allemande en Belgique. A ces troupes groupées en armées s'ajoutent les unités mobiles du corps de cavalerie de Sordet, (72 escadrons) flanqué d'un général d'état-major, de trois divisionnaires et de huit brigadiers, soit onze képis dorés de cavaliers.

Il faut encore pourvoir au commandement des troupes dites « à la disposition du ministre », des réservistes en cours de formation, susceptibles d'être envoyées en renfort : trois divisionnaires et trois brigadiers pour les 61e, 62e et 67e divisions de réserve et les divisions, dites « à la disposition du général en chef » : les 37e et 38e d'Algérie et la 44e de Lyon, soit six généraux. On compte dans l'organigramme de l'armée de nombreuses unités de réserve groupées autour du général Archinard flanqué du colonel Mordacq à Clermont-Ferrand : trois divisionnaires et quatre brigadiers — autour du général Valabrègue à Vernon (huit généraux). Il faut aussi inclure dans le tableau les quatre généraux de la défense mobile de Belfort et d'Épinal, de Verdun et de Toul commandant surtout à des colonels (un seul brigadier) sans oublier les réserves de l'armée alpine : 14e et 15e région, dont les unités sont aux ordres de quatre généraux de division de Grenoble, Nice, Avignon et Chambéry et seulement de quatre généraux de brigade (au lieu de huit, les autres étant remplacés par des colonels), soit huit généraux au total. Il convient d'ajouter à cette liste, au début d'août 1914, les deux généraux Humbert et Blondat, commandant les troupes du Maroc. Le général Ditte avec ses « chasseurs indigènes » ne rejoindra le front que plus tard, quittant le Maroc malgré Lyautey, à l'instigation véhémente de Messimy [1].

Joffre a donc dû confirmer ou pourvoir dans l'immédiat à deux cent soixante-douze postes de généraux, sans compter les nombreux colonels qu'il a chargés, faute de généraux disponibles, du commandement d'une brigade. Il n'est plus question de mises à la retraite. Il faut faire flèche de tout bois, engager ici ou là quelques officiers généraux parfois à peine capable de monter à cheval, encore moins de lire, dans les cas les plus extrêmes de sénilité, une carte d'état-major.

Une promotion générale des colonels n'est pas encore envisageable. On reste dans l'état d'esprit des promotions du temps de paix. Seuls les plus anciens d'entre eux, comme Pétain, accèdent au grade supérieur. On respecte encore le cadre du tableau d'avancement, en observant les usages, ce qui encombre l'armée de vieux chefs issus des promotions du temps de paix pas toujours efficaces sur le terrain, parce qu'ils n'ont pas été conviés aux manœuvres. Le problème se pose rapidement de savoir que faire des généraux indignes de leur commandement, aux toutes premières batailles.

Joffre considère rapidement que le choix du commandement est entièrement son affaire, et qu'il n'a pas à consulter. Il prend la responsabilité

1. Pour le détail de ces commandements voir *Les Armées françaises pendant la guerre*, Paris, Imprimerie nationale, 1936, t. 1, p. 535 et suiv.

des échecs et des fautes des généraux qu'il a nommés.

Il doit intervenir au plus tôt. Il a concentré dix corps dans les armées Dubail et Castelnau qui sont chargés sur-le-champ de prendre l'initiative sur l'ennemi en Alsace et en Lorraine, non certes pour obtenir une victoire stratégique, mais un succès symbolique, confortant le moral de la nation. Il n'affiche pas immédiatement cet objectif républicain d'ordre sentimental, qui trahirait le peu de confiance qu'il a lui, le général en chef, dans une opération stratégique de percée et d'enveloppement de l'armée allemande. Il allègue que la conquête de la Haute-Alsace lui aurait permis « de faire des économies de forces à droite au profit de la manœuvre principale de gauche ».

Il est déçu par le cafouillage de l'armée Dubail, et particulièrement du 7e corps d'armée de Bonneau, pourtant constitué de bonnes troupes de Belfort et du Jura. Le général ne s'est pas bien conduit, d'entrée de jeu. Il a télégraphié pour signaler le début de son mouvement de « couverture » au ministre de la Guerre Messimy, au lieu d'en avertir Joffre par la voie hiérarchique ! Comme s'il s'agissait de « couverture » ! le général avait une mission offensive et il l'accomplissait avec *lenteur* et *indécision*.

Joffre télégraphie aussitôt (le samedi 8 août) au général Dubail, chef de la 1re armée, pour « examiner si le commandant du 7e corps avait bien les qualités voulues pour remplir sa mission ». Bonneau se met en train, avec l'aide de la 8e division de cavalerie, des dragons du Jura et de Belfort commandés par Aubier. Il prend Mulhouse dans la nuit du 8 au 9 août sans coup férir. Faut-il poursuivre ? Bien sûr, dit Joffre. Dubail fait alors savoir que les « troupes étaient très fatiguées ». C'est évidemment, dit Joffre, par la faute des « hésitations du commandement ». Il est urgent de le changer, d'autant que les Allemands contre-attaquent.

Joffre supplie alors le ministre Messimy de lui donner son collaborateur, le vieux général Pau, héros de la guerre de 1870 idolâtré dans l'armée, pour prendre la tête d'une « armée d'Alsace » [1]. On affiche encore les couleurs républicaines de la revanche. Il s'agit d'aller de l'avant, comme en 1793. On prévoit l'arrivée des réserves conduites par Archinard, autre vieux général républicain, ancienne gloire des troupes coloniales : avec cinq groupes de chasseurs alpins d'élite, des braves sachant marcher.

Faute lourde : dans la nuit du 8 au 9 août 1914, Mulhouse est perdue. Les chasseurs se sont fait tuer par le canon allemand. Trois cents prisonniers au 7e corps. Bonneau a commis l'erreur d'« accumuler sans motif à l'intérieur de la ville des effectifs trop considérables ». Quant aux cavaliers, ils ont hésité à soutenir. Le général Aubier est également dans le collimateur de l'état-major de Vitry-le-François ainsi que son collègue de la 2e armée, Lescot, commandant la cavalerie de Lunéville, la meilleure de l'armée, dont la faiblesse a permis aux Allemands de capturer deux mille prisonniers. Joffre demande un rapport immédiat au lieutenant-colonel Debeney, jeune officier sans indulgence pour les ganaches. Celui-ci ne peut que confirmer la fatigue de la troupe « qui n'a pas pu faire la soupe depuis trois jours » et assurer que

1. L'armée dite d'Alsace était le 7e corps et la 8e de cavalerie renforcés de la 44e division d'infanterie du général Soyer, venue des Alpes, basée à Lyon et du groupe Archinard de divisions de réserve.

« la fatigue était très réelle ». Il pense qu'« il ne faut pas attacher trop d'importance » à l'« événement fâcheux » de l'abandon de Mulhouse. Son rapport couvre le général Bonneau [1].

Joffre prend cependant la décision de remplacer ces trois généraux. Ils sont, dit-il, « incapables à passer de la mentalité de temps de paix à celle du temps de guerre ». Par leur faute, l'offensive républicaine a échoué en Alsace, où l'on a perdu du monde sans raison. Peut-être faudra-t-il remplacer aussi le général Curé, commandant la 14e division de Belfort, qui a signalé des concentrations allemandes dans la forêt de Hardt et qui dénonce le « piège grossier » de l'ennemi. Il est remplacé dès le 12 août par de Villaret.

A la 26e division de Clermont-Ferrand, autre limogeage : Blazer remplace Silhol le 20 août. Les pioupious montluçonnais du colonel Trabucco n'ont que trop souffert dans les attaques non préparées. Et Barier remplace Pouradier-Duteil à la tête du 14e corps de Lyon. Il est temps : les soldats du 140e régiment de Grenoble (colonel Maillot) se sont fait tuer, avant d'arriver en ligne, par le canon lourd de l'ennemi. Il n'est pas question de mettre en cause le général Legrand qui s'est fait arrêter dans les Vosges, aux cols du Bonhomme et de Sainte-Marie, avec le 21e corps, par des tirs d'artillerie puissants et meurtriers [2]. C'est l'affaire de Mulhouse qui confirme la colère du grand état-major.

Joffre veut une mutation symbolique, pas une sanction. Le général Ebener, chef de cabinet de

1. AFGG, t. I, annexe n° 163, p. 174.

2. Au col de Sainte-Marie, le 149e régiment d'Épinal vient de perdre six cents hommes, douze officiers, dont deux supérieurs, sous les tirs d'artillerie, *ibid.*, annexe n° 173.

Messimy fait parvenir un message de son ministre à Joffre stipulant que la « volonté du gouvernement était qu'un général qui ne remplirait pas ses devoirs avec suffisamment de vigueur devait être traduit devant un conseil de guerre et passé par les armes dans les vingt-quatre heures ». Messimy confirmait par une lettre reçue le 10 août au soir à Vitry : « Si un chef placé sous vos ordres, quel que soit son grade faisait montre de faiblesse, de pusillanimité, il devrait instantanément être déféré au conseil de guerre et jugé. Les peines les plus sévères, y compris la mort, devraient lui être appliquées. Le président de la République renonce, dans la plupart des cas, à user de son droit de grâce. Vous en recevrez notification. Nous entendons, puisqu'on nous a déclaré la guerre, la faire révolutionnairement, comme en 1793. »

Joffre répond, avec quelque ironie. Messimy se trompe de République. Il n'est plus temps de faire des exemples et de guillotiner les généraux ci-devant. De Bonneau, il affirme que si sa conduite au feu avait été en effet insuffisante, « ce n'était pas une raison pour le traduire devant un conseil de guerre ». La faute, en l'occurrence, n'était pas d'avoir fait tuer des hommes pour rien, mais bien de n'avoir pas fait preuve d'esprit offensif. Il suffisait de remplacer Bonneau par Pau, Lescot par Varin et Aubier par Mazel. Vautier prendrait immédiatement la place de Bonneau et tout serait dit. Joffre avait choisi d'éliminer les généraux incapables, non de les juger.

Il venait de créer la jurisprudence du limogeage. Le ministre Messimy avait en effet décidé, ne sachant qu'en faire, d'évacuer sur Limoges tous les généraux en disgrâce de la 1re armée d'Alsace, pour qu'ils ne viennent pas « clabauder » dans Paris.

Aucune mutation n'était cependant envisagée contre le général Durand, du 21e corps, dont les hommes avaient été massacrés par le canon dans les Vosges. On n'imaginait pas encore de limoger des chefs qui n'avaient pas su protéger leurs unités d'assaut. Il aurait fallu mettre en cause l'insuffisance de la couverture d'artillerie. Et Joffre savait le premier qu'elle était la principale faiblesse de l'armée.

Ces limogeages étaient-ils tous indispensables ? Ont-ils été bâclés par Joffre, dans l'angoisse des premiers échecs ? Le petit-fils du général Pouradier-Duteil, chef du 14e corps d'armée, a mené son enquête [1] : le général a été victime d'une machination dont l'auteur analyse le moindre détail. Il nous révèle, ce faisant, la nature du commandement du général en chef et ses difficultés.

Les généraux du temps de paix sont brusquement confrontés avec le drame. Joffre, qui connaît mal l'armée française et ses généraux, navigue comme il peut entre les commandements sans quitter son bureau du quartier général où figure en bonne place, nous dit-on, l'annuaire des anciens élèves de l'École polytechnique. Avec ceux-là, du moins, les trains de renforts et de munitions ont des chances d'arriver à l'heure.

Paul Pouradier-Duteil, pour réhabiliter la mémoire de son aïeul retrouve dans les archives de la guerre les traces d'un faux et d'une forfaiture. On se croit en pleine affaire Dreyfus, dans le réseau des intrigues et des coups bas. Précieuse enquête : elle montre qu'au début du conflit, pas un seul de

1. Paul Pouradier-Duteil, *Août 1914 : enquête sur une relève*, Nicosie, Theopress Ltd, 1997.

ces généraux, commandant les armées, les corps d'armée et les divisions n'a oublié la petite guerre mortelle d'embuscades, de mines et contre-mines pour la conquête des commandements, et qu'ils sont prêts de nouveau à en découdre pour éliminer leurs rivaux.

Le poste de Pouradier-Duteil est guetté depuis longtemps, le titulaire le sait bien, par un des plus acharnés de ses compétiteurs, le général Barier, soutenu *in fine* par Joffre et l'état-major après une intrigue qui n'ajoute rien à la gloire du général d'armée Dubail, présenté comme une pantoufle, attentif à ne pas déplaire, brutal avec les inférieurs, capable d'une injustice pour éviter la disgrâce, après la retraite précipitée de son armée.

Le chef du 14e corps aurait été le bouc émissaire désigné du désordre. Comment lui pardonner ? Il avait raison et il avait le front de l'affirmer. Non, il n'avait pas lâché son col des Vosges. Oui, il était vain et dangereux d'étirer le front de son corps et de lui donner deux missions impossibles en même temps, offensive et défensive, avec des divisions de réserve inexpérimentées que l'on refusait, par principe, d'*amalgamer* avec des unités d'active.

Le général relevé mettait ainsi le doigt sur une des faiblesses essentielles du plan XVII de Joffre, qui a du reste pleinement reconnu son erreur dans ses *Mémoires* : il n'avait pas imaginé que les Allemands pussent pousser d'entrée de jeu en première ligne des divisions de réserve ou d'*erzats* [1] et par conséquent disposer, aux premiers coups de canon,

1. Unités constituées avec les restes du recrutement des divisions régulières et normalement encadrées. Les erzats ont autant de valeur que les divisions normales. Quant aux divisions de réserve, elles ont des cadres parfaitement entraînés.

d'unités d'attaque plus nombreuses qu'il ne semblait. Joffre ne pensait pas que l'état-major allemand eût les moyens d'attaquer à l'ouest avec trois armées, tout en tenant solidement le nord-est du front. Il se trompait.

Il ignorait tout de la combativité des corps bavarois qui attendaient l'offensive française en Alsace et en Lorraine, et de leur renforcement en artillerie lourde mobile. En considérant ses propres unités de réserve comme des forces de deuxième ordre, le commandant en chef avait, au départ, réduit considérablement ses moyens.

Il était donc trop tard pour attendre des miracles de troupes dont on avait négligé l'instruction et l'encadrement, et qui trop souvent se débandaient. Ce que Paul Pouradier-Duteil ne dit pas, dans son souci d'accabler Joffre, c'est qu'aucune troupe, de réserve ou d'active, ne pouvait résister au feu de l'artillerie allemande en début de campagne. Tous les témoignages concordent : les hommes se faisaient tuer en colonnes, avant même de s'être déployés contre l'ennemi.

Personne n'osait encore le dire, le feu des canons lourds allemands rendait toute offensive impensable, avec le secours du seul 75. Telle était la faiblesse majeure de l'armée française. Le reconnaître conduisait à la mise en question, non seulement du dispositif de guerre, mais de la préparation française à la guerre, de l'insuffisance manifeste de l'artillerie de combat due à la toute-puissance des bureaux de la guerre que ni les politiques ni les officiers responsables du plan de guerre n'avaient pu fléchir. C'est ceux-là qui auraient dû être jugés, pour incapacité coupable, et non les chefs de corps dont les unités de réservistes se débandaient sous l'effet du feu allemand qu'aucune troupe au monde ne pouvait affronter.

Quand la VIe armée du prince Rupprecht de Bavière reçoit l'offensive des Français en Lorraine vers Morhange et Sarrebourg, elle déchaîne aussitôt le feu de ses 130 et de ses 150 montés à l'arrière immédiat des lignes, lesquels tirent à plus de dix kilomètres. Vincent, général d'artillerie du 15e corps de Marseille demande à son chef, le général Espinasse, s'il peut lui envoyer des pièces lourdes. S'il approche ses 75 en ligne, ils seront « cassés », assure-t-il, par le feu ennemi. Espinasse n'a pas de pièces lourdes et le 15e corps se fait enfoncer. A la brigade Gabillet, les régiments d'Antibes et de Toulon se font tuer, baïonnette au canon, devant les défenses imprenables du village de Moncourt. Les obus explosifs ont fait merveille : mille hommes hors de combat en une heure. Le général de corps d'armée Espinasse, nommé et apprécié par Joffre, sera seulement « relevé ».

Dans son analyse fine des structures du commandement et de ses rapports avec les troupes, Paul Pouradier-Duteil fait ressortir les méfaits de la doctrine de l'offensive. Si Joffre la reprend à son compte, c'est qu'il n'a pas les moyens d'envisager, comme von Schlieffen, une bataille d'anéantissement de l'armée allemande. Il ne peut guère que surprendre ou retarder le choc massif de l'ennemi, en étant le plus agile, le plus rapide.

Son ralliement à la tactique de l'offensive à tout prix n'est sans doute pas naïf et spontané. Cet officier du génie est la prudence même. Il ne peut espérer tenir que par la mobilité de son armée, et par l'agressivité des troupes formées au combat. Il ne croit pas, dans l'immédiat, à l'efficacité des réserves. Sa stratégie est de gagner du temps, pour permettre aux Russes d'avancer, aux Anglais de débarquer. Il doit contrarier le choc ennemi par des actions immédiates qui l'obligent à modifier ses dispositions.

Il n'est pas enclin à pardonner à quiconque traîne la jambe ou marque le pas. Il ne veut pas entendre parler de la fatigue des troupes. Le sort de la France se joue, dans son esprit, aux premiers jours de campagne, d'autant plus que trois armées allemandes bien équipées en canons lourds et en mitrailleuses, disposant d'unités de réserve bien encadrées et instruites, se disposent à envahir la Belgique et le Luxembourg.

Sans partager l'intransigeance d'un Messimy qui parle de condamner à mort les généraux coupables, il envisage, dans un message téléphoné du 23 août [1] de limoger Duteil. Il demande au général d'armée Dubail quelles sont les « sanctions à prendre à l'égard du général Pouradier-Duteil (conseil de guerre, conseil d'enquête ou autre) ». Dubail hésite, après avoir vu Duteil, et, sur ses explications, lui rend son commandement. N'a-t-il pas réussi, en montant une colonne de secours utilisant des autobus, à reprendre Sainte-Marie ? Mais Joffre demeure inébranlable. Sur un rapport tronqué, faisant état d'un prétendu refus du général Duteil de remplir une mission impossible, il maintient sa décision de mise à pied « après, dira-t-il, compte rendu qui m'est fait par un officier de liaison ».

Le rôle de ces émissaires de l'état-major dans les armées et corps d'armée est alors essentiel. Ils sont

1. Pouradier-Duteil, *op. cit.*, p. 206.

les yeux et les oreilles de Joffre et participent tous de cet esprit offensif qui leur fait mépriser *a priori* la prudence des cadres élevés. La simple présence de ces jeunes capitaines dans les PC des généraux doit les stimuler, les empêcher de flancher. Le républicain Joffre a recours à l'« œil de surveillance » de la légende révolutionnaire française. S'il ne guillotine pas, il espionne.

Il dispose de trop peu d'éléments pour faire juger et condamner le chef du 14e corps. Il se contente de le limoger hâtivement, remettant à plus tard la rédaction d'un rapport. Il demande ainsi au général de Langle de Cary de limoger deux de ses divisionnaires, Garreau de la Méchenie (Périgueux) remplacé par Deffontaines dès le 22 août, puis par le brigadier Descoings le 24, et Leblond (Angoulême) chassé haut le pied de son PC par Bapst, au simple motif que les officiers du 12e corps de Roques se sont « un peu trop vite repliés ».

Duteil a dû faire face à des paniques dans certaines de ses unités, et il a signalé la « fatigue extrême » de ses troupes. On lui a expédié aussitôt le capitaine Pichot-Duclos pour le surveiller. Celui-là se garde bien de parler à Joffre de la reprise du col de Sainte-Marie. Duteil est accusé de l'avoir perdu. Le rapport de Joffre, nourri des appréciations du capitaine surveillant, est rédigé, longtemps après, le 8 mars 1915. Il parle d'un corps d'armée « présentant de symptômes nombreux de dépression (mutilations volontaires, simulations, paniques) » et conclut que le général « n'était pas trempé pour commander » [1]. Les paniques avaient eu lieu dans les troupes de réserve mal encadrées, comme à la

1. *Ibid.*, p. 236.

58e division du recrutement de Dijon, aux ordres du général Besset. Quant aux mutilations, elles abondaient sur tout le front dans les unités de réservistes surtout, au point que l'on songeait déjà à rétablir les cours martiales.

Joffre est donc porté à l'intransigeance, dans le *pathos* des premiers échecs. Les pertes à l'armée étaient déjà de vingt-cinq mille hommes au 23 août. Joffre voulait des exemples, attribuait les échecs non à la force de l'artillerie allemande, mais à la faiblesse des chefs français. Limogé, Pouradier-Duteil n'aura droit, pour un temps, qu'au commandement de la région militaire de Clermont-Ferrand. Il ne reviendra jamais au front comme d'autres victimes de la purge. Les généraux Curé, Bourdériat, Comby, Exelmans, Legrand, Regnault, Muteau ont été par la suite et dans d'autres circonstances, rappelés au service actif. De Maud'huy, commandant la division de Bourges, relevé par Dubail le 8 septembre « pour raison de santé » a été réintégré. Certains ont accepté de commander des divisions au lieu de corps, des brigades et non des divisions. Ils voulaient se racheter au feu.

Un décret du 15 août 1914 autorisait le général en chef à supprimer les dispositions de la loi de 1912 impliquant la nécessité de consulter au préalable de Conseil supérieur de la guerre avant de mettre à la retraite d'office un officier général. Les enquêtes seraient faites ultérieurement. Joffre et ses officiers de renseignement, chapeautés au quartier général de Vitry-le-François par Gamelin avaient le champ libre et ils en usèrent sans ménagement. Ils commirent des injustices au nom de l'intérêt général, mais aussi pour des raisons de doctrine et de coterie, comme le suggère le petit-fils du général Pouradier-Duteil.

Jusqu'au 24 août, les limogés étaient généralement accusés d'avoir lanterné, hésité, louvoyé, mal exécuté les mouvements prévus. Ils faisaient, comme Bonneau, office de boucs émissaires des échecs. On ne songeait pas alors à rayer des cadres ceux qui avaient imprudemment attaqué, laissant massacrer leurs effectifs par des assauts précipités, sans soutien d'artillerie.

Les limogés, repliés dans la région de Limoges, devaient se considérer, selon la circulaire du 16 septembre signée de la main de Messimy « comme étant aux arrêts de rigueur ». Une douzaine seulement étaient victimes de cette mesure extrême. Les autres recevaient des commandements provisoires à l'intérieur, quand ils n'étaient pas purement et simplement rayés des cadres.

Lors de l'affaire de Charleroi, le 22 août, on signalait à Joffre les défaillances inouïes des généraux de corps d'armée. Sauret, du 3e corps de la 5e armée Lanrezac, recruté à Rouen avait désobéi aux ordres de son chef. Son corps avait été décimé sur la Sambre, à l'est de Charleroi. Il n'avait été sauvé *in extremis* que par le tir d'artillerie de Rouquerol. Le général, pendant cette affaire sanglante, était introuvable.

Au 5e corps de l'armée Ruffey, le même jour, le général Brochin était hâtivement mis à pied, remplacé par Micheler, pour avoir perdu la tête devant le massacre de trois de ses régiments levés dans la région d'Orléans.

Au 7e corps de Toulouse, commandé par le général Pioline (dépendant de la 4e armée) cinq mille hommes de deux divisions étaient tués ou blessés en quelques heures. Le régiment de Mirande avait perdu son colonel et son drapeau, l'artillerie du corps n'avait plus que huit pièces, le régiment de Montauban avait perdu mille trois cents hommes dans un champ des Ardennes.

Quelque 130 000 soldats français tombent en trois jours à la bataille de Charleroi. L'affaire se solde par le limogeage de deux généraux d'armée, Ruffey et Lanrezac et une nouvelle purge de généraux de corps d'armée et de division. Aucune mise en accusation, aucun jugement. Mais l'élimination de ces képis dorés fait du bruit à Paris. On commence à se demander si Joffre lui-même ne doit pas être remplacé. Être général dans l'armée française, à la fin de l'été de 1914, c'est être exposé au jugement sévère du pays, en tout premier lieu de ses responsables politiques, surpris par la déroute de Morhange, étonnés de l'incapacité des chefs et, qui commencent à demander des comptes.

Les politiciens ne sont pas même informés par l'état-major du détail des opérations. Aux premières défaites, Poincaré s'angoisse, somme Joffre de lui dire la vérité, délègue à Vitry-le-François le colonel Pénelon, son ancien attaché militaire. On lui dit que des « fautes ont été commises », notamment par le QG. Quelles fautes ? Quelles sanctions ? Le président n'est pas informé. Après Charleroi, où l'armée a perdu tant de monde, le souci de Poincaré est de remanier le ministère attaqué par Clemenceau qui reproche à Joffre d'avoir engagé en Lorraine un « général de la Jésuitière ». Les luttes politiques vont-elles reprendre jusque dans l'armée ? On parle au Vendéen d'un ministère. Il refuse. Il veut la présidence du Conseil ou rien.

Le gouvernement Viviani est remanié. Un ministre est limogé, Messimy. Les foucades de Clemenceau, les critiques de Briand, Millerand et

Delcassé ont eu raison de sa résistance. La reddition de Lille sans combat et l'évacuation bâclée de la garnison et des réserves avaient alimenté les critiques, ainsi que les déclarations optimistes du ministre faites à la presse et dissimulant la déconfiture des armées.

Poincaré pensait qu'il était préférable de changer plutôt de ministre que de général en chef, en dépit des critiques qui s'amoncelaient contre Joffre. Pourtant, le colonel Pénelon l'avait prévenu qu'il y avait eu des « défaillances individuelles et collectives des divisions mal engagées, des déploiements téméraires et des reculs précipités, une usure prématurée des hommes, enfin une insuffisance tactique de nos troupes et de leurs chefs ». Poincaré reprenait les critiques à son compte : on avait « lancé les troupes trop loin et à découvert, on avait jeté en ligne des unités trop nombreuses et trop denses », et l'artillerie n'avait pas réglé son tir sur les mouvements de l'infanterie.

Messimy n'était pour rien dans ces erreurs, imputables à Joffre et à ses généraux. Il choisit de rejoindre une unité combattante. On lui en sut gré. Millerand prenait sa place, avec pour mission de conforter par tous les moyens les efforts désormais purement défensifs du général en chef.

Pour Poincaré comme pour Clemenceau, les généraux avaient gâché l'armée, à l'exception de Castelnau, vainqueur au Grand-Couronné de Nancy, et de Lanrezac, qui avait eu le temps, avant d'être limogé, de se racheter à Guise. Deux du moins avaient partagé le sort des 250 000 victimes d'une stratégie aventureuse et d'une tactique inadaptée : les généraux Raffenel et Rondony, tués à l'ennemi. Un bon général, à la fin d'août 1914, dans l'armée française, est-il un général mort ?

CHAPITRE II

Les sanctions de la défaite

Lanrezac, Pau, Ruffey, trois généraux d'armée renvoyés. Joffre est sans indulgence, mais il y a deux poids, deux mesures. Dans la même période dite de la « bataille des frontières », et jusqu'au 6 septembre 1914, près de trois cents soldats sont fusillés pour cause de déroute, après avoir comparu sommairement devant des cours martiales improvisées. Le commandement a la main lourde pour la troupe, mais il ne fusille pas ses généraux.

Pau n'est pas frappé, mais éloigné, son armée d'Alsace est dissoute, faute d'avoir pu obtenir le moindre résultat. Devant l'avance allemande en Belgique, le général Ruffey devait se consacrer à un mouvement offensif, en liaison avec la 4e armée de Langle de Cary (soit 19 divisions actives d'attaque) pendant que Lanrezac avec sa 5e armée serait renforcé du 9e corps d'armée de Tours (général Dubois). Atteint par la limite d'âge, Maunoury était mis à la tête d'une armée de Lorraine (avec un groupe de divisions de réserve enlevé à Ruffey, la 67e division disponible et deux divisions de réserve venues des Alpes), pour prêter main-forte à l'aile droite de Ruffey et, si possible, investir Metz par l'ouest.

Le 21 août, il n'y avait plus rien à faire en

Lorraine, les Allemands avaient franchi la Meuse, investi Namur. Le 22, progressant vers l'ouest, l'ennemi avait passé la Sambre et attaqué sur Charleroi. Le général Lanrezac tenait le front Maubeuge-Charleroi-Dinant avec ses dix divisions d'infanterie, et Ruffey, plus au sud, le front Montmédy-Verdun avec sa 3e armée. Entre les deux grandes unités, Langle de Cary et sa 4e armée.

Les corps d'armée de Lanrezac, très éprouvés, reculent dès le début de l'action. Alors sont sanctionnés le général Defforges, du 10e de Rennes, et Sauret, du 3e de Rouen, mais non Franchet d'Esperey, du 1er corps de Lille, qui s'est bien conduit à la bataille et n'a pas perdu son sang froid.

Les 3e et 4e armées ont également subi des pertes sérieuses. Mais le lendemain 23 août, quand l'offensive devait reprendre sur l'ensemble du front, Joffre apprend que le 17e corps du général Pioline, appartenant à l'armée de Langle de Cary, a fait une « retraite désordonnée » avec ses régiments de la région de Toulouse. *Exit* Pioline.

Joffre avait demandé à Langle de Cary, dont il ne mettait pas en doute le professionnalisme [1], de lui « signaler immédiatement les chefs contre lesquels, précisait-il, je devrais prendre les sanctions nécessaires ». Langle n'avait pas hésité à se défaire des responsables qu'il avait lui-même choisis ou acceptés dans son armée. Le 24 août au matin, le généralissime savait que toute velléité d'offensive était condamnée, et qu'il lui restait à soutenir une « défensive appuyée à nos places fortes », dont il avait délibérément négligé, quand il en était res-

1. « Je connaissais de Langle, écrit Joffre, et j'étais sûr de la fermeté de son caractère. » Son avis était assurément l'« exact reflet des choses », *ibid.*, p 299.

ponsable, la remise en état, parce qu'elles étaient considérées comme vétustes et inutiles.

« Un trop grand nombre de généraux, dit Joffre, se révélaient à l'épreuve, au-dessous de leur tâche. » Ainsi commente-t-il, sans tendresse le suicide d'un général de division du 5e corps d'Orléans : il a « perdu le contrôle de lui-même et le sentiment de ses devoirs envers sa troupe ». C'est un « fait regrettable ». Quand il remet les généraux « B... et G... » à la disposition du ministre, Messimy estime que cette sanction n'est pas suffisante. « Vous voudrez bien, lui écrit-il, faire venir les officiers relevés de leur commandement au grand quartier général par automobile, et les faire passer en conseil de guerre. » Mais Joffre ne veut faire juger que ceux des chefs « qui relèvent du code de justice militaire ».

Il n'envoie pas même devant un conseil « ce général G... » que Messimy traite de lâche. Il estime, en effet, que l'insuffisance du commandement n'est pas seule responsable de l'échec. Honnêtement, somme toute, il assure que les « principes d'offensive que nous avons essayé d'inculquer ont été mal compris et mal mis en œuvre », faute de temps. La responsabilité est donc partagée.

Les généraux, estime Joffre, ont été débordés par la brutalité de l'attaque ennemie, et par l'importance de ses moyens en artillerie. Le 20 août, le chef du 15e corps, Espinasse, expliquait à Castelnau : « L'infanterie désespère du concours de l'artillerie, elle a subi dans certaines compagnies des pertes à 80 % par le feu d'artillerie, sans avoir pu tirer. Par suite de son état de fatigue physique et morale, la 29e division est actuellement hors d'état de fournir un nouvel effort offensif et même de fournir une défense énergique. »

A l'état-major, on parlait alors de « défaillance »,

comme si les Corses et les Niçois du 15e corps étaient coupables d'avoir été massacrés par un canon sans réplique possible. On avait osé qualifier la retraite précipitée de « débandade ». Mais Foch lui-même, dans la bagarre, n'avait-il pas perdu ses canons ? Qui pouvait résister au feu des Bavarois ? Le racisme antisudiste des journalistes parisiens fit alors croire que les hommes des régiments du midi étaient en faute, qu'ils avaient manqué de courage. A l'état-major, on mettait seulement en cause l'encadrement, les chefs. Qu'en pensait Joffre ? Pouvait-il entendre, serein, ces bassesses, ces clabaudages qui soulevaient le cœur ?

Le gâchis est tel que l'on peut estimer, c'est le général en chef qui l'affirme, que des « fautes de manœuvres ont entraîné de lourdes pertes et réduit à néant la valeur offensive et défensive de la troupe ». Pas d'appui d'artillerie lors des nombreuses attaques. L'infanterie a été lancée à l'assaut de trop loin, sans souci de protéger les flancs, exposant les attaquants aux tirs des mitrailleuses ennemies. La coopération de l'infanterie avec l'artillerie a été à peu près nulle. « Il faut du temps, conclut Joffre, pour créer un état d'esprit nouveau. »

Qu'il aille donc voir au front ! Le général Legrand Girarde, ancien attaché militaire à l'Élysée au temps de l'affaire Dreyfus décrit l'attaque des unités de son 21e corps le 21 août, il parle du « tir incessant d'obusiers qu'il est impossible de voir et par suite de contrebattre. Le tir, très précis, éteint peu à peu une partie de l'artillerie. La brigade coloniale, après avoir éprouvé de lourdes pertes, cède le terrain ». Les coloniaux sont des braves. S'ils reculent, c'est que le terrain est intenable. Est-ce la faute des troupes, ou des généraux ? Sans doute les mutations de généraux incapables ou simplement débordés peuvent-elles contribuer à rétablir la confiance. Faut-il les fusiller pour autant ?

Les sanctions de l'échec de Morhange et de Charleroi, en dépit de l'immensité des pertes, restent modérées. Ni Lanrezac ni Langle de Cary ne voient leur commandement menacé. Ruffey garde encore le sien, en dépit des défaillances pour lesquelles on ne sanctionnera que les divisionnaires ou les généraux de corps d'armée. Joffre craint-il que les chefs, déjà trop timides à son gré, perdent toute initiative si les mesures prises à l'égard des défaillants sont trop lourdes ?

Ruffey est le premier liquidé. Joffre avait de la sympathie pour l'intelligence critique de l'artilleur. Mais les lignards parisiens du général de Trintinian se sont, lui dit-on, mal conduits au feu (7e division) et ceux de Brochin (chef du 3e corps) ont été pires. Joffre s'inquiète sur le sort de cette 3e armée, où seul semble tenir le 6e corps de Sarrail avec ses divisions de Verdun, de Châlons-sur-Marne, de Reims et de Saint-Mihiel, des hommes de l'Est, bien décidés à défendre leur territoire contre l'invasion.

Dans la soirée du 30 août, Joffre se rend au quartier général de Ruffey à Varennes, au pied de l'Argonne. « Je le trouvai, dit-il, dans un état qui me prouva que tout ce qu'on m'avait dit était l'expression de la vérité : il était très énervé et se répandait en propos amers contre tous ses subordonnés, en particulier contre le général de Lartigue et surtout le général de Trintinian, qui, disait-il, avait fait massacrer sa division à Ethe, perdu toute son artillerie et montrait une absolue nullité comme commandant de division. »

Faut-il limoger ces deux chefs ? Sans doute, mais

on ne peut plus « faire fonds sur les appréciations de Ruffey », dit Joffre. Il voulait retirer à la 3e armée le 4e corps (celui de Lartigue et de Trintinian, levé au Mans) ou le 6e corps de Sarrail pour renforcer le groupe d'armées du Centre gauche. Ruffey avait protesté, estimant avoir besoin de toutes ses unités pour faire face à une attaque allemande « incessante ».

Mais rien ne s'était produit. Joffre qui tenait Ruffey pour un officier « intelligent mais de caractère inconsistant et imaginatif à l'excès », était inquiet sur l'état d'esprit de l'état-major de cette armée, dirigé par le général corse Grossetti. Ce « magnifique soldat », qui devait se révéler incroyablement brave au feu, n'était pas à sa place dans les bureaux d'état-major, devant des cartes ou des télégrammes. « Voulant tout faire par lui-même », il se laissait aller à des « oublis fâcheux » de transmission d'ordres. On reconnaît dans cette dénonciation le rôle et le style malveillant ou critique des officiers de surveillance de Joffre, en premier lieu du commandant Bel. Ils ont accablé Grossetti et Ruffey. Joffre, pour en avoir le cœur net, invite Ruffey à Vitry-le-François, avec des égards. C'est un camarade. Il lui demande de passer son commandement à Sarrail, qui s'est bien conduit au front grâce à Micheler, son énergique chef d'état-major et au général Herr qui commande son artillerie. Ruffey accepte de grand cœur, « sans regret apparent », commente Joffre. Quant à Grossetti, il marchera au feu, à la tête de la 42e division recrutée à Saint-Quentin, Cambrai et Bar-le-Duc, fort aguerrie et déjà diminuée dans la bataille des Ardennes. Le colonel Leboucq remplacera Grossetti à l'état-major de l'armée. C'est un homme de Joffre. Tout est bien réglé entre gens de la même caste, parlant un langage commun.

Une transmission à l'amiable : Joffre n'a voulu causer la moindre peine à, son collègue Ruffey, du Conseil supérieur de la guerre et de l'École polytechnique. Il a seulement estimé qu'il avait besoin d'un très long repos. Il laisse à Sarrail (flanqué de Leboucq) le soin de faire le ménage à la 3e armée.

Avec Lanrezac, les rapports sont plus tendus. Le professeur de stratégie est trop critique, trop instable. Joffre l'a senti quand il a réuni, dès le 3 août, ses généraux d'armée au ministère de la rue Saint-Dominique : celui-là, se dit-il aussitôt, discutera les ordres.

Le 14 août, le général Lanrezac se présente au GQG pour formuler ses craintes relatives à l'invasion massive de la Belgique.

« Les Allemands n'ont rien de prêt de ce côté-là », lui répond Joffre, laconique.

Lanrezac affirme dans ses mémoires qu'il regagne son quartier général de Rethel « la mort dans l'âme » [1]. Quand il apprend que Joffre se réjouit de l'avance massive des armées allemandes en Belgique, vers le 12 août, parce qu'elle lui donne les mains libres en Lorraine, il n'est nullement rassuré. Le 20 août, il reçoit l'ordre d'avancer vers le nord, sur Neufchâteau. Il arrive trop tard sur la Sambre pour s'assurer des passages mais il n'en a pas reçu l'ordre à temps. Il devait agir en liaison avec les Britanniques et ceux-ci n'étaient pas prêts. Joffre ne s'indigne nullement de ce retard. Il en est responsable.

Après l'échec de l'offensive de Morhange, Lanrezac, le 22 août, s'étonne qu'on ne prélève pas immédiatement trois corps sur l'aile droite pour les

1. Général Lanrezac, *Le Plan de guerre français*, Payot, 1920 et 2e éd. 1929, p. 90.

conduire d'extême urgence en chemin de fer sur l'aile gauche. Joffre n'a donné l'ordre à la 5e armée de remonter vers Namur, au sud de la Sambre, que le 15 août. Les soldats ont du marcher à pied sous la canicule pendant cent kilomètres, sac au dos.

Quand l'armée atteint, le 20 août, la Basse-Sambre, elle y trouve les Allemands installés. Le corps de cavalerie de Sordet n'a pas réussi à leur barrer la route. Joffre vitupère le cavalier, le voue aux gémonies [1]. Pourtant Sordet est totalement victime des ordres et contrordres reçus, qui ont épuisé ses escadrons. Le 8 août, on lui a demandé de se porter sur Liège. Les chevaux ont avancé bravement, sans boire, sur quatre-vingts kilomètres [2]. Contenus sur l'Ourthe, les cavaliers ont rebroussé chemin. On lance alors Sordet à la rencontre des Allemands qui marchent sur Dinant. Contrordre le 15 août : se porter à la gauche de la 5e armée entre Sambre et Meuse. Le lendemain le corps doit passer la Sambre pour aider les Belges. Le 18, il livre bataille. Le 20, le corps se replie sur le canal de Charleroi, le 21, sur la rive sud de la Sambre avant de repartir pour flanquer la gauche de l'armée anglaise. On a gaspillé la cavalerie française.

Et les chefs, peu habitués à la campagne, n'ont pas ménagé leurs chevaux. Ils les ont montés sans arrêt et les selles leur ont mis le dos en sang. Joffre

1. Messimy est encore plus critique. Il se dit « mécontent du rôle joué par Sordet. Il dort. C'est inadmissible ». Il considère qu'il a « manqué à son devoir » alors qu'il n'a fait qu'obéir aux ordres et aux contrordres.

2. Voir Colonel Goutard, *La Marne*, Robert Laffont, 1968, p. 117 et suiv.

pouvait tempêter, il n'avait aucune idée des conditions d'emploi de la cavalerie en campagne et, sans le savoir, il l'a sacrifiée.

Elle n'a été que d'un maigre secours à Lanrezac. Le général ne pouvait se risquer à franchir la Sambre le 21 août, n'ayant pas son monde sous la main. Il devait attendre le 24 : « Je vous laisse juge », lui avait dit Joffre, encore respectueux du professeur de stratégie. Lanrezac avait interdit à ses troupes de descendre dans la vallée de la Sambre, dans les terrils et les usines, pour éviter de s'y perdre sans aucun profit. Il voulait livrer combat sur le beau plateau du sud, en rase campagne, mais en position dominante. Les ponts étaient donc maigrement gardés, laissés intacts aux mains de postes français. Il n'avait pas l'intention, contrairement aux ordres de Joffre, de se porter vers le nord.

La garde prussienne, poussée par Ludendorff, alors quartier-maître général de la IIe armée, s'était donc emparée des ponts que la cavalerie de Sordet n'avait pas défendus. Personne ne les avait fait sauter, faute d'ordres parce que Joffre persistait à vouloir marcher vers le nord. Les divisionnaires français, spontanément, avaient engagé des troupes dans le fond de la vallée pour les reprendre. Ainsi, le général Defforges, commandant du 10e corps, avait fait tuer ses fantassins en pure perte, contrevenant aux ordres formels de Lanrezac, négligeant même de l'informer.

Sauret agirait de même au 3e corps, sacrifiant sa 5e division. D'unité en unité, les deux corps s'engageaient à fond dans cette bataille pour Charleroi où ils verraient fondre leurs effectifs. Les plus beaux régiments de zouaves et de tirailleurs algériens comptaient leurs pertes et pleuraient leurs officiers tués. Suffisait-il de limoger Sauret et Defforges pour rétablir l'ordre et le moral ?

Lanrezac parle de cette affaire comme s'il n'en était aucunement responsable, n'ayant pas été obéi. Ses généraux sont allés « courir l'aventure dans les bas-fonds de la Sambre ». Les misérables ! Chargeant au son du clairon. Ils n'avaient pourtant « aucune chance de réussir ». Le professeur le savait. Que ne les a-t-il retenus ! Les artilleurs n'ont pu exercer dans le brouillard aucun tir tendu. Mais les obusiers allemands « ont poursuivi les fantassins jusque dans les ravins ». Quand les Allemands daignent se montrer (les braves gens !) « notre 75 fait merveille ». En terrain découvert, « nos batteries peuvent leur infliger une leçon ». Malgré les pertes immenses, le moral du général professeur n'est pas atteint au matin du 23 août. Il se dit encore satisfait de ses troupes et bombe le torse devant les espions de l'état-major.

Franchet d'Esperey, qui commande les excellents soldats du 1er corps de Lille, dont le 1er régiment de France recruté à Cambrai, voit l'occasion d'agir dans le flanc de l'ennemi le 23 août. Il envoie son ordonnance, le capitaine Malick, au QG de Lanrezac pour le convaincre. Celui-ci, dit Goutard, hausse les épaules : pas question d'attaquer vers l'ouest alors que la menace de la IIIe armée allemande se précise à l'est sur Dinant. Les réservistes de la division Boutegourd (51e d'Arras) ont laissé les Saxons franchir la Meuse à Dinant. La 102e brigade (général Leleu) s'est repliée trop vite. Franchet d'Esperey doit obéir à Lanrezac, la rage au cœur.

Le 23 août, à l'annonce de la défaite de la 4e armée qui tient sa droite, Lanrezac décide de se replier pour sauver sa propre armée. Le maréchal britannique French l'accusera d'avoir battu en retraite sans le prévenir, et d'avoir laissé ses unités en l'air, sans protection sur le flanc. Joffre, après l'entrevue de Saint-Quentin avec Lanrezac et French en conclut aussitôt que les deux hommes ne sont pas faits pour s'entendre, et que cette désunion est un facteur de faiblesse.

Le 27 août, il prescrit à Lanrezac de contre-attaquer sur le flanc allemand à hauteur de Guise. Le général est réticent. Joffre monte en automobile, entre au quartier général de Lanrezac à Marle. Il est nerveux, angoissé, « teint jaune, yeux injectés », note Joffre, peu désireux d'agir. Il invoque la fatigue du soldat, la menace qui vient du nord. Joffre l'oblige à obéir en rédigeant un ordre sur-le-champ. Il retrouve Lanrezac au matin du 29 août, installé à Laon, plus calme, donnant ses ordres pour la bataille. Il gagne, il est même le seul à avoir gagné dans cette campagne. Son artillerie tire au lapin sur les *Feldgrau* qui détalent. Vainqueur, il doit aussitôt faire retraite sur la Serre, selon les ordres. C'est alors que Joffre se pose des questions sur l'efficacité de Lanrezac qui vient de montrer son mérite à la tête de la 5e armée.

Il roule déjà dans sa tête le plan de la bataille d'arrêt sur la Marne. Il a besoin de Foch et de Maunoury, chacun dotés d'une armée. Il songe à remplacer Lanrezac, le seul dont il ne soit pas sûr. Il faut à la tête de la 5e armée un chef capable de négocier un ordre de marche avec les Anglais qui doivent participer aux engagements. Lanrezac n'est pas bien vu de French. « Deux tempéraments, écrit plus tard Joffre, deux mentalités si essentiellement différents qui paraissent ne pas pouvoir s'accorder. »

Joffre profite de sa présence au QG de Marle

pour nommer, prétendument sur proposition de Lanrezac, le général de division Hache (40e de Saint-Mihiel) à la tête du 3e corps, en remplacement de Sauret, limogé. Le brave général regrette de perdre sa division décimée en Lorraine, mais Joffre lui demande « son abnégation et son dévouement ». Il a besoin d'hommes de terrain, sans état d'âme.

Est-il encore inquiet pour Lanrezac, malgré le succès de Guise ? Le 29 août, Joffre commence à craindre « que le commandant de la 5e armée ne soit pas à hauteur de la tâche capitale qu'il aurait à remplir » dans la bataille qui s'annonce. Il a déjà décidé de le remplacer et recherche un successeur. Franchet d'Esperey s'est bien conduit au front à la tête du 1er corps. Il a des « qualités de caractère ». Lanrezac n'en manque pas, mais il l'emploie, surtout depuis la bataille de Guise, à discuter, à disséquer et à commenter les ordres de l'état-major général désormais installé dans l'école des garçons de Bar-sur-Aube. « Sa fatigue physique, écrit méchamment Joffre, avait exaspéré le côté critique de son esprit... il était devenu hésitant et pusillanime. »

Lanrezac lui devait sa carrière. C'est Joffre qui l'avait nommé à la tête de la 5e armée. Il n'en était que plus à l'aise pour la lui reprendre. Il s'était, dit-il, « effondré moralement » et devait être remplacé. Franchet d'Esperey avait accepté la succession, dans une rencontre « à l'entrée de Sézanne, sur le bord d'une route ». Fort de l'acceptation de Franchet d'Esperey, Joffre poursuivait son chemin jusqu'à l'école de la ville où Lanrezac avait fixé son état-major :

« Mon ami, lui dit-il, vous savez que je vous ai toujours soutenu et poussé dans votre carrière. Mais vous êtes fatigué, hésitant, il faut quitter le commandement de la 5e armée. Il m'est pénible de vous le dire, mais j'y suis obligé.

— Vous avez raison, mon général », répond Lanrezac qui n'est pas limogé, mais « mis à disposition » de Gallieni. Joffre écrit au gouverneur de Paris, pour évoquer le cas du chef de la 5e armée : « C'est un remarquable professeur qui ne donne pas en temps de guerre les espérances que l'on avait fondées sur lui. Vous en ferez ce que vous voudrez. »

Gallieni n'en avait rien à faire. Il ne restait à Lanrezac, devenu le bouc émissaire de la défaite de Charleroi, que de rédiger un livre pour accuser Joffre d'être le vrai responsable de cette malheureuse action, pour ne pas avoir aperçu à temps l'importance de l'attaque allemande en Belgique. Ainsi se liquidaient les généraux, entre gens de bonne compagnie mais avec des rancœurs féroces, inexpiables, capables d'empoisonner la fin de leur vie.

La valse continua après la bataille de la Marne. Joffre calculait qu'il avait remplacé au feu, du 1er août, jour de la mobilisation jusqu'au 6 septembre, début de la bataille de la Marne, deux commandants d'armée (Ruffey et Lanrezac) vingt-trois divisionnaires sur quarante-sept, y compris les chefs des divisions coloniales, dix généraux sur vingt-cinq commandants des divisions de réserve. Il avait été particulièrement dur pour les cavaliers ; le commandant de corps Sordet était limogé et cinq divisionnaires sur dix.

L'armée avait été rudement purgée, mais pas un seul de ces généraux n'était passé en jugement, encore moins devant une commission d'enquête. Aux yeux de Joffre, le limogeage à sec ou à chaud suffisait : quand l'officier supérieur n'était pas mis à la retraite, il exerçait un commandement à l'arrière et ne devait pas en théorie revenir au front.

Après la victoire, le général en chef se séparait de Berthelot avec qui il avait eu des divergences de vues. Il lui confia le commandement d'un groupe de divisions de réserve, mission essentielle pour l'avenir. Il ne marquait aucune tendresse pour les généraux responsables de la « course à la mer » qui avait suivi la bataille de la Marne. Ils étaient tous, dans son esprit, condamnés : Maunoury n'avait pas compris sa pensée, Franchet d'Esperey avait perdu du temps, Sarrail n'avait pas fait sentir à son armée « son impulsion et son énergie ». Il lui avait prescrit une enquête pour savoir dans quelles conditions il avait laissé l'ennemi décrocher sans l'inquiéter. C'était l'antichambre du limogeage. Sarrail avait en outre indisposé le général en chef en laissant les Allemands s'approcher de Saint-Mihiel. Ses jours étaient comptés.

Joffre avait créé une deuxième armée sur son aile gauche pour gagner le nord, aux ordres de Castelnau. Celui-ci n'avait pas réussi sa très difficile mission. Joffre l'avait aussitôt coiffé par Foch, son ancien subordonné, vainqueur éclatant des Marais de Saint-Gond sur la Marne. Il avait en outre obligé Castelnau à se séparer d'Anthoine, son chef d'état-major de Lorraine, pour lui imposer le colonel Duchêne, chef d'état-major du 20e corps et créature de Foch. Joffre changeait de montures après le gué. Les généraux n'étaient pas mieux traités que les chevaux.

Un seul fut l'objet d'un jugement en conseil de guerre après une commission d'enquête, l'obscur général Fournier. Joffre s'apprêtait le 8 septembre à envoyer un télégramme de félicitations à cet officier supérieur, qui défendait Maubeuge. Un radio lui annonçait au même moment la reddition de la place, qui avait retenu de nombreuses unités allemandes, un corps d'armée au moins disait-on, pendant plusieurs jours. On opposait jusque-là, dans les popotes d'état-major, la résistance de Fournier à l'incapacité du vieux général Perçin, qui n'avait pas su évacuer les magasins de la garnison de Lille, déclarée ville ouverte. La place était déclassée depuis 1910 et n'était pas en état d'être défendue. Mais elle contenait trois millions de cartouches, quatre cents canons, des obus, des vivres en abondance, des fourrages pour les chevaux. L'ordre d'évacuation était arrivé trop tard.

On avait rabattu quelques unités de territoriaux pour faciliter la tâche du général Herment, commandant les dépôts d'artillerie à Douai, qui remplaçait Percin, limogé, au commandement de la place de Lille. Il fallait tenter de la couvrir ou, du moins, assurer son évacuation. Mais le sénateur Debierre et le maire Delasalle avaient obtenu du gouvernement et de Messimy, ministre de la Guerre, qu'il n'y eût pas de combat autour de la ville ni sur son territoire, pour éviter les représailles.

La garnison de Lille, obéissant aux ordres, s'était repliée dans une retraite très désordonnée vers Béthune et La Bassée. Herment, qui ne pouvait disposer ni des chemins de fer ni du téléphone, avait semé son matériel en route sans être nullement talonné par l'ennemi. Il avait été, disait-on « dépassé par les événements ».

Joffre n'osait pas sévir, en raison de l'irresponsabilité morale manifeste des autorités civiles qui avaient imposé l'abandon de la place. Le général Pau avait été chargé d'un rapport relatif à l'enquête concernant l'évacuation de Lille qui donnait au général Herment toutes les circonstances atténuantes en raison de l'initiative désastreuse des autorités civiles qui avaient imposé l'abandon, soutenues par le gouvernement. La précipitation des événements militaires, l'absence totale d'informations et d'ordres pour la garnison avaient fait le reste [1].

Le 7 septembre 1914, Millerand, ministre de la Guerre, avait d'abord chargé d'une enquête le général Brugère, qui, sur sa demande en fut déchargé. C'est le général Pau qui l'avait alors engagée. Au 1er décembre 1914 le rapport était rédigé. L'ancien ministre Messimy, rentré de la guerre en 1918, avait adressé le 24 mai 1919 à Georges Clemenceau, alors président du Conseil, un autre rapport relatant sa propre expérience des événements de Lille. L'affaire n'eut pas de suites judiciaires. Le général Herment était absous. Il fut quand même affecté à une mission très ingrate de réorganisation des dépôts de l'artillerie, avant d'être sans emploi. Il se retira à Périgueux, desespéré de n'avoir pu défendre Lille [2].

A Maubeuge, c'était une tout autre affaire. Il avait été stipulé par dépêche ministérielle du 3 juin 1910 que la place « devait pouvoir se défendre contre des troupes de campagne nombreuses, et renforcées d'artillerie lourde ». On avait évacué les 12 000 habitants et décidé que la ville devait être défendue en raison de sa situation cruciale sur la carte de guerre du commandement en chef.

Le général Fournier, gouverneur de la place, disposait de forces importantes ; quarante-sept batteries d'artillerie. Mais les fortifications étaient

---

1. Général Pau, *Enquête sur l'évacuation de Lille,* rapport d'ensemble, septembre-décembre 1914.

2. Voir les deux derniers chapitres d'Enguerand, *Le Secret de la frontière,* Charleroi, éd. Bossard, 1918.

désuètes et n'avaient pas été rénovées, conformément à la doctrine de la guerre offensive. Six forts construits ou retapés en 1880-1890, avant l'emploi des obus explosifs, dont un seul renforcé de béton, six ouvrages de défense d'infanterie « de qualité médiocre ». Un espace de trente kilomètres de ceinture, doté d'un armement ancien : les seuls armements modernes, trois tourelles de 75 et deux de 155, étaient très visibles et vulnérables.

Plus de 37 000 hommes et vingt-quatre sections de mitrailleuses constituaient la garnison, pour la plupart des territoriaux. Le gouverneur devait recevoir en renfort deux régiments d'infanterie coloniale, trois compagnies territoriales du génie et six batteries à pied. Il était donc à la tête, tout compris, d'une garnison de 48 930 hommes dotée de 450 canons et d'une centaine de sections de mitrailleuses. De quoi soutenir un siège mais en attendant une manœuvre de délivrance. La place, disait la dépêche du ministre, « n'a pas de raison de prolonger sa résistance longtemps isolément ». On estimait à trois mois de vivres et de munitions la durée maximale de la résistance.

Le 5 août 1914, le général Fournier lançait un appel au ministre, pour prendre date dans le compte à rebours de la mise en état des lieux : les travaux de défense étaient à peine ébauchés. Il demandait un délai de dix jours pour envisager une résistance. Le général Pau, à la demande de Joffre, ancien directeur des fortifications, prenait aussitôt le train pour Maubeuge. Il annonçait que, le 11 août, les principaux centres seraient sans doute entourés de barbelés, creusés de tranchées et garnis de canons. La troupe travaillait avec énergie, à mi-temps, aux défenses intermédiaires qui devaient se révéler les plus redoutables pour l'ennemi.

Le 24 août, le général Lanrezac, dont dépend désormais le général Fournier, l'informe du repli de la 5e armée, avec Maubeuge comme pivot. La troupe est en ordre de combat, l'artillerie prête à appuyer le génie qui rétablit les ponts sur la Sambre. Fournier demande en vain à Lanrezac l'appui d'un groupe de 75 et d'une brigade de réserve, au cas où la 5e armée poursuivrait sa retraite. Le 25 août, les ponts et les voies ferrées d'accès sont dynamités. On étend les inondations de la rivière Solre. Le 27 août, le général Fournier déclare officiellement Maubeuge investie.

Le 29 août, le bombardement du fort de Boussois par des obusiers de gros calibre commence. Le général Fournier estime qu'il a devant lui un corps d'armée au moins, décidé à en finir. Une colonne d'assaut est rassemblée dans le camp retranché, prête à intervenir contre l'attaque allemande. Mais cette force d'infanterie doit gagner au plus tôt les abris, sous la violence du bombardement. L'ennemi n'attaque pas, il détruit la place sous un déluge de feu. Le fort de Boussois n'est qu'une ruine, le 1er septembre, l'arsenal est touché.

Comment détruire les pièces lourdes allemandes ? On ignore leur position. Le seul ballon captif disponible a été abattu par l'ennemi le 29 août. Pas un seul avion d'observation sauf un coucou rafistolé qui s'écrase à l'atterrissage. Par pigeon voyageur, le gouverneur réclame d'urgence le secours de l'aviation. Le grand quartier général alerté promet le décollage de l'as des as, Pégoud. Celui-ci ne paraîtra jamais dans le ciel de Maubeuge.

Les renseignements des paysans des environs finissent par permettre de localiser, mais sans précision suffisante, les batteries allemandes. Le général Fournier donne aussitôt des ordres pour constituer deux colonnes d'infanterie d'active ou de réserve, avec des spécialistes du génie, pour faire sauter les batteries lourdes grossièrement situées dans les sablières au nord de Jeumont et vers Vieux-Reng et Grand-Reng. Les canons et les mitrailleuses allemandes, bien camouflées, prennent les soldats pour cible avec une redoutable efficacité. Ils ne peuvent progresser : neuf cents hommes sont tués ou blessés, dont vingt-trois officiers.

Le bombardement allemand reprend avec une telle violence, le 2 septembre, que Fournier donne l'ordre aux défenseurs d'évacuer les tranchées et les ouvrages, pour se mettre à l'abri. Les batteries seront déplacées, afin d'échapper à la destruction. Il ne reste déjà plus que 350 pièces le 3 septembre. Cent canons ont sauté sous les obus des pièces lourdes allemandes. Le général Ville, qui commande le secteur au nord de la Sambre, et le général Winckel-Mayer, de la réserve générale, s'attendent avec angoisse à l'assaut final.

Il tarde. Les Allemands poursuivent leurs destructions par l'artillerie lourde, les mortiers de 210, 280 et jusqu'à 380. Le 4 septembre, trois forts sont écrasés, aucun abri ne résiste à l'artillerie. L'infanterie « ne peut ni se déplacer ni même tenir sous ce feu » [1]. Les maisons sont incendiées, le téléphone et les fils de la télégraphie coupés. Fournier tente d'expliquer la situation au ministre par pigeons voyageurs. Il annonce, le 4 septembre, que ses troupes sont à bout de force. Il semble qu'aucune information précise ne soit parvenue à l'état-major de Joffre avant le 8 septembre. La place de Maubeuge est parfaitement isolée.

1. AFGG, t. I, 2e vol., p. 566.

Si le gouverneur Fournier immobilise un corps d'armée avec ses soldats disparates, ses fortifications désuètes et ses canons dépareillés, quelle aubaine pour Joffre, qui s'apprête, ce jour-là, à rechercher la victoire sur la Marne. Que Fournier tienne, jusqu'à la « dernière cartouche ». On compte sur sa résistance désespérée, un nouveau Bazeille, haut les cœurs !

Le 4 septembre, l'infanterie en *feldgrau* sort enfin de ses tranchées, précédée par un feu roulant de canons. L'ouvrage du Fagnet est pris, la ferme de la Salmagne enlevée. L'attaque vient butter contre les ruines du fort de Boussois, où sont embusqués des tireurs et des mitrailleuses, et devant l'ouvrage de la Salmagne, tout aussi résolument défendu. On doit évacuer au nord un autre fort, celui des Sartes. Soixante-quatre pièces dont les serveurs sont morts et les approvisionnements défaillants sont sabotées.

Dans la soirée du 4 septembre, le gouverneur réunit son conseil de défense pour avancer l'idée d'une sortie globale. A l'unanimité, le conseil décide de prolonger la résistance. On prend soin seulement d'évacuer les drapeaux des deux régiments d'infanterie, les 145e et 345e de la conscription de Maubeuge. Les ordres donnés au général Ville sont de tenir le plus longtemps possible au nord du fleuve. La garnison de Maubeuge doit mourir sous les ruines.

L'ennemi emploie désormais les obusiers superlourds de 420, auxquels rien ne peut résister. Les Liégeois en ont fait l'expérience. Pourquoi les pauvres carapaces non bétonnées de Maubeuge résisteraient-elles mieux que les forts modernes du roi des Belges ? Les défenses, les forts tombent les uns après les autres. Les canons français se taisent progressivement. Le groupe de 75 a perdu la moitié de ses batteries. Il faut encore abandonner vingt-deux pièces dans le centre de Rocq.

La place est bombardée depuis huit jours et les soldats sont épuisés. Un avion allemand, le 6 septembre à 9 heures du matin, laisse tomber sur le glacis une sommation du général von Zwehl. Fournier la laisse sans réponse.

Le bombardement reprend. Les ruines du fort de Boussois sont matraquées d'obus de gros calibres. Après une journée de résistance de taupes, l'ouvrage se rend à 18 heures. Au nord, l'infanterie allemande attaque les villages détruits les uns après les autres. Les Français résistent d'arrache-pied, d'obstacle en obstacle, bien dirigés par le général Ville, mais reculent constamment.

Sur la rive sud de la Sambre, l'artillerie est presque entièrement détruite en fin de journée. La troupe, qui recule d'un ouvrage à l'autre sous le tir incessant des marmites, tient bon contre l'assaut d'infanterie, mais finit par se démoraliser. Les soldats ne comprennent pas la raison d'une résistance aussi acharnée contre un ennemi qu'ils estiment très supérieur. Ils seront tués jusqu'au dernier et s'en indignent. Ils s'endorment sous les armes, ivres de fatigue. Vingt mille hommes refluent bientôt sur le fort d'Hautmont, cherchant protection. La confusion des armes est totale, les uniformes méconnaissables. Vont-ils se rendre ?

Fournier délègue un « commandant d'armes spécial » chargé de rétablir l'ordre. Il tente de reprendre les soldats en main, de les regrouper, de leur attribuer des tâches précises. Pas de mutinerie à Maubeuge. Les fantassins des unités levées dans la région sont seulement abattus, débandés et démoralisés. Ils reprennent leurs postes de combat sans espérer désormais le moindre soutien d'artillerie. Ils n'ont pas aperçu un seul aéroplane français dans le ciel de Maubeuge. Le gouverneur a déjà donné l'ordre de détruire tous les approvisionnements, même en vivres et en fourrage. La fin est proche. Les hommes savent qu'ils sont sacrifiés.

Seules les ruines autour du fort de Boussois abandonné donnent encore des signes de résistance, dans le secteur du général Ville. Au sud, les canons ont été laissés sur place. Les fantassins continuent à résister sur des positions de repli, sans abri. Fournier décide de s'installer dans le fort du Bourdiau, pour le dernier acte du siège. Les services sont regroupés au fort d'Hautmont, qui tient encore.

De nouveau le conseil de défense est réuni, le 6 septembre à 18 heures. Chaque responsable est entendu et ses propos sont soigneusement consignés. Le chef d'état-major commence par affirmer que les pertes sont très sensibles et que les troupes de la rive gauche de la Sambre ne forment qu'une « cohue sans chefs au faubourg de Mons. Elles ne sont plus capables d'aucune résistance ».

Quant aux défenseurs de la rive droite de la Sambre, ils sont constamment refoulés par l'ennemi. « Est-il nécessaire, conclut le chef d'état-major, de continuer une lutte impossible à soutenir qui ne permettrait pas de gagner quelques heures sur le moment fatal de la reddition, mais qui aurait pour effet d'exposer une masse énorme d'hommes qui ont fait grandement leur devoir à une véritable boucherie, d'exposer nos hôpitaux remplis de blessés à sombrer dans l'incendie commencé dans la ville ? »

Le responsable de l'artillerie affirme qu'il n'a jamais pu repérer les lueurs de pièces ennemies trop éloignées et tenues à couvert. Il n'a pu que soutenir l'infanterie. Il ne dispose plus que de petits calibres pour continuer la résistance. Pour le commandant du génie, tout effort est vain devant les incendies allumés par des obus incendiaires.

Le colonel du 32e d'infanterie coloniale pleure ses morts : ses troupes, assure-t-il, ont été écrasées par le canon. « Une lutte plus longue, conclut-il, nous causerait des pertes hors de proportion avec le peu de temps qu'elle pourrait durer. » Pour le colonel du 145e d'infanterie, « tout abordage de l'infanterie ennemie est immédiatement arrêté et cloué sur place ». Les mitrailleuses allemandes sont trop nombreuses. Poursuivre le combat serait « un sacrifice sans aucun avantage ».

Pour les troupes de Maubeuge, assurément. Mais pour Joffre qui redoute l'entrée en ligne dans sa bataille de la Marne du corps allemand de Maubeuge ? Il faut tenir, tenir encore. Le général commandant les réserves de la place explique que ses fantassins « qui ont consenti depuis huit jours un effort surhumain » sont à bout de forces. On peut leur demander « un effort suprême », mais ce serait les « sacrifier inutilement ». Pour le général, l'« honneur est sauf ». Il a perdu le quart de ses hommes. A quoi bon poursuivre ?

Devant cette unanimité du conseil, Fournier prend cependant la décision de continuer la lutte « jusqu'à la dernière extrémité ». Il garde les yeux fixés sur l'article 159 du décret sur le service des places qui stipule : « Le gouverneur ne doit jamais perdre de vue qu'en retardant, fût-ce d'un seul jour, la reddition de la place, il peut assurer le salut du pays. »

Le général Ville doit reconstituer ses troupes à quelque distance de sa ligne de résistance, grâce à un recul effectué de nuit. Le gouverneur Fournier s'installe lui-même à la porte de Mons, pour diriger le dernier baroud. Il a fait brûler les drapeaux et fait sauter le magasin de munitions, ainsi que l'arsenal. Toutes ses précautions sont prises, et consignées par écrit. Il sait qu'en pleine bataille de la Marne, on ne lui pardonnerait pas la moindre faiblesse, même justifiée par l'ampleur du sacrifice de la garnison. Il attend la fin de pied ferme.

Le 7 septembre, Maubeuge tient encore, mais pour combien de temps ? Fournier est sans aucune nouvelle de Paris ni du grand état-major. Il peut émettre des messages, mais non en recevoir. Le colombier militaire de Paris, à l'entrée en guerre, ne comptait pas moins de quatre-vingt-dix pigeons à destination de la place. Le gouverneur ne reçut jamais aucun de ces messagers.

Le général Ville ne peut reculer que de cinq cents mètres : il est acculé à la Sambre. A 11 h 30, le gouverneur Fournier envoie par pigeon un message au ministère annonçant sa reddition comme imminente. Une heure plus tard, il entre en pourparlers avec l'ennemi et il ordonne de suspendre toute attaque. Il borne sa demande, pour gagner du temps, à un armistice de vingt-quatre heures permettant d'enlever les blessés.

Von Zwehl répond aussitôt : il refuse l'armistice, exige la reddition immédiate et sans condition, ville et forts livrés, garnison prisonnière, matériel de guerre entièrement abandonné aux Allemands. La réponse est attendue pour 18 heures.

Fournier a déjà fait connaître aux soldats sa demande de reddition « pour éviter une effusion de sang désormais inutile ». Il recommande aux troupes « la plus grande dignité et une stricte discipline ». Il promet de sévir contre « toute récrimination, toute parole déplacée » dans d'aussi « tristes circonstances ».

Le drapeau blanc est hissé sur le PC. Les commandants de secteur font de même. A 14 heures, les clairons français ont sonné le cessez-le-feu, mais non les bugles allemands. Profitant des circonstances, l'infanterie en *feldgrau* et casques à pointe s'est portée en avant, faisant des prisonniers par dizaines.

Les Français pouvaient-ils réussir une sortie ? La question s'est posée au procès du général. Dans la journée du 7 septembre, huit cents soldats se sont évadés de Maubeuge par l'ouest. Connaissant bien leur région, les fantassins, par petits groupes, ont trompé la vigilance ennemie. Le chef d'escadron Charlier, commandant le parc d'artillerie de la place, a vu venir à lui quelque sept cents fugitifs dont deux cent cinquante ont réussi à rejoindre Dunkerque avec leurs armes et leur équipement.

Trois cents se sont habillés en civil, à la demande du chef, pour regagner les lignes françaises. Beaucoup de ces petits groupes se sont évanouis dans la forêt et ont réussi à rejoindre l'armée par leurs propres moyens.

Au vu du désordre de cette opération de sauvetage, mais aussi de sa réussite, les enquêteurs de 1919, cherchant la vérité sur Maubeuge, se sont demandés si le gouverneur n'aurait pas pu se retirer avec sa garnison tout entière. Le général Fournier a répondu que seules des initiatives par petits paquets étaient possibles, mais qu'elles n'étaient pas admissibles. Avant la signature de la capitulation, aucune troupe ne pouvait déserter, car les combats pouvaient reprendre. La confusion venait du drapeau blanc, partout hissé, et d'abord sur le clocher de l'église de Maubeuge, dès l'après-midi.

Les soldats s'étaient crus libres de s'évader. Fournier se défend vivement quand on lui reproche d'avoir fait hisser le drapeau blanc : il n'avait pas d'autre moyen d'avertir les Allemands de son intention de se rendre et de faire cesser le feu. On tirait sur les cyclistes et sur les messagers à pied. Mais il avait diffusé dans les unités l'ordre « écrit affiché et signé, de ne pas abandonner les postes sans un ordre formel et écrit du gouverneur ».

Quant à organiser lui-même l'évasion de ses unités, c'était impossible. Il n'avait plus les moyens militaires de faire une trouée. Il ne devait d'ailleurs pas évacuer la place avant la dernière limite, conformément au décret sur la défense [1]. Le général Fournier avait été autorisé par les Allemands à quitter Maubeuge l'épée au côté, « pour reconnaître la bravoure de la défense ».

Entre Grand-Reng et Jeumont, à la ferme du Vent-de-Bise, la capitulation fut signée au soir du 7 septembre, au PC du général allemand. Joffre, surpris, venait de citer le général Fournier à l'ordre des armées pour sa défense héroïque. Il avait aussi reçu les félicitations du ministre Alexandre Millerand réfugié à Bordeaux avec l'ensemble du gouvernement et le président de la République.

C'était beaucoup d'honneurs pour un général ayant rendu sa place, partant dans les camps de prisonniers avec sa garnison. Du moins avait-il obtenu que la reddition ne prît effet que le 8 septembre, remettant au 9 septembre, au plus tôt, la

1. Voir AFGG, t. I, 2e vol., annexe n° 2662, note en annexe au rapport du gouverneur du 15 octobre 1914 produite à l'enquête de mars 1919 par Fournier.

mise en route du corps d'armée allemand et de son artillerie lourde vers le front.

De fait, les colonnes ennemies, lentes à se former, ne quittèrent Maubeuge que le 9 septembre pour arriver le 13 sur le plateau de Craonne. Le général Fournier, par sa résistance d'un peu moins de deux semaines, estimait avec beaucoup d'exagération sans doute avoir fixé devant lui 60 000 Allemands, dont une division de réserve de la Garde, le VIIe corps, un parc d'artillerie commandé par un divisionnaire et des renforts de la *Landwehr* venus de Valenciennes. A la date du 13 septembre, quand ces troupes arrivèrent sur la ligne de l'Aisne, la bataille de la Marne était gagnée depuis trois jours.

L'ennemi recevait tout de même 45 636 hommes, de nombreux canons et 80 000 obus. La garnison avait subi des pertes sensibles. Pendant deux semaines, elle avait retenu non pas un gros corps d'armée comme le croyait Fournier, mais tout de même trois divisions. Une très forte artillerie avait été immobilisée devant la ville. La résistance de Maubeuge avait empêché les Allemands en pleine bataille d'utiliser la grande artère ferroviaire Berlin-Cologne-Paris. Le rôle de Maubeuge était donc positif.

Ainsi le reconnut le conseil d'enquête réuni sous la présidence du général Guillaumat par arrêté ministériel du 7 janvier 1919, alors que n'étaient pas encore ouvertes les négociations de la paix. Les débats du conseil durèrent un mois. Le dossier fut présenté au deuxième conseil de guerre présidé par le général Maistre, dans sa séance du 18 mai 1920.

Ainsi le seul général nommé par Joffre qui eût fait l'objet d'un jugement était celui qui avait rendu

Maubeuge, avant de partir pour un camp de prisonniers allemand. Aucun des divisionnaires limogés n'avait été traduit devant cette procédure qui frappait aussi les officiers supérieurs commandants les forts de Charlemont (le gouverneur, lieutenant-colonel Pailla) et de Montmédy (lieutenant-colonel Faurès).

Le général Fournier, jugé par d'autres généraux, était naturellement acquitté, ainsi que ses collègues, par le Conseil de guerre. On dissipait ainsi la rumeur de la reddition de Maubeuge, reprise par le député du Calvados, Fernand Enguerand, dans un ouvrage publié en 1918 [1], suggérant, sans pouvoir le prouver, que la garnison française était plus nombreuse et mieux dotée en canons que les assaillants, que le général avait rendu la place sans beaucoup de pertes, et qu'il aurait pu, au dernier moment, réussir une sortie vers les lignes françaises.

La version des faits fournie par le rapport officiel du ministère établissait la très forte supériorité de l'artillerie de siège allemande, que tous les témoins et acteurs du drame ont reconnue, et la faiblesse de l'infanterie française, composée pour une bonne part de territoriaux n'ayant jamais vu le feu.

Cette affaire mineure avait une importance morale et politique du fait qu'un général français avait hissé le drapeau blanc pour rendre sa troupe et ses moyens militaires à l'ennemi. Le décret sur les places, encore inspiré par les redditions célèbres des villes lors des invasions du XIXe siècle établissait avec force qu'il fallait tenir jusqu'aux dernières limites. Un général coupable de reddition prématurée était donc plus menacé dans son hon-

1. Fernand Enguerand, *Le Secret de la frontière, op. cit.*

neur et sa carrière qu'une ganache de divisionnaire ayant envoyé sa troupe devant des feux de mitrailleuses sans aucun soutien d'artillerie.

La chute de Maubeuge n'avait aucune influence matérielle sur la bataille de la Marne. Au moment des combats, l'état-major de Bar-sur-Aube ne s'en inquiétait plus. Il avait été surpris par la résistance du général Fournier, au point de le féliciter chaleureusement quand on le croyait encore ferme et décidé à tenir. Cette défense était une surprise, non programmée depuis longtemps dans les calculs des stratèges. Aucun message venu de Bar-sur-Aube ou de la rue Saint-Dominique n'était parvenu jusqu'à Fournier, et celui-ci ne parvenait pas davantage, en dépit de ses multiples envois de pigeons voyageurs, à faire connaître sa situation à ses supérieurs. Il faut croire qu'ils ne s'en inquiétaient pas, puisqu'ils n'assuraient pas la transmission des ordres, ce qu'ils auraient pu faire par avion.

Les pertes de la garnison n'étaient sensibles que dans les unités d'élite, qui avaient tenté une sortie et tenaient l'infanterie allemande à distance. Dans le gros de la troupe, les seules victimes avaient été frappées par les éclats d'obus. Maubeuge n'avait pas connu une hécatombe.

Si l'on avait jugé son général, c'est d'abord qu'il était prisonnier et qu'au retour des camps de prisonniers, l'administration militaire devait exiger une justification pour la capture. Fournier savait qu'il aurait à présenter sa défense. Il s'y était préparé dès octobre, rédigeant lui-même un rapport. Son acquittement n'était pas douteux. On lui reprochait plutôt le désordre de la place, des erreurs dans la demande d'armistice, la fuite de certains éléments de la garnison sans ordre. Il pouvait aisément s'en justifier.

Une place frontière éloignée du front n'avait aucune importance dans la suite des opérations. La bataille livrée sur la Marne était reportée sur l'Aisne et dans le nord. Maubeuge était oubliée. Les Allemands pourraient à l'aise y tenir garnison. Y avaient-ils bénéficié de complicités, d'un réglage des tirs d'artillerie par communications téléphoniques comme le suggère Enguerand ?

Il est vrai que Fournier n'avait pas confiance dans la population civile. Il souhaitait qu'elle fût entièrement évacuée. Il était lui-même très mal informé sur les mouvements des unités allemandes, bien que ses fantassins fussent originaires de la région. Mais cette incapacité de l'armée française à éclairer sa route, à repérer l'ennemi était alors générale. Joffre pestait sans cesse contre les cavaliers et les avions qui étaient trop rares. Il faudrait du temps avant que s'affine et s'affermisse le renseignement militaire.

Si Fournier est passé en commission d'enquête, c'est que le décret sur les places mettait en cause tous les gouverneurs, qui étaient plus que des généraux, puisqu'ils avaient la responsabilité des anciennes citadelles. Celle de Maubeuge avait été tracée par Vauban. Son procès était plus symbolique que réel. On ne lui reprochait nullement d'avoir sacrifié ses hommes mais de les avoir obligés à se rendre.

On ne lui savait aucun gré à Bar-sur-Aube d'avoir épargné aux combattants des deux régiments de Maubeuge la « boucherie inutile » dont parlait le chef des unités de réserve. Ces hommes, étant de garnison, devaient se sacrifier à la reprise de l'offensive. On pouvait seulement reprocher à Fournier d'avoir toléré ou de n'avoir pas empêché qu'ils ne s'échappent et d'avoir, l'épée au côté, d'un cœur rasséréné par la signature d'une capitulation jugée par tous inévitable, conduit quelque 50 000 soldats français dans les camps allemands.

Fournier n'a donc pas subi les sanctions de la défaite. Joffre n'avait pas eu à condamner sa conduite puisqu'il en ignorait l'issue. Quand il l'avait apprise, au plus fort de la bataille de la Marne, il était trop tard. Il n'avait pour l'heure à prendre aucune décision de limogeage. Les Allemands s'en étaient chargés.

Le procès tardif fait à Fournier était d'autant plus étonnant que l'on ne tenait plus les places pour un élément utile à la défense depuis les premières batailles de 1914. Aucune n'avait été depuis 1910 l'objet d'une réfection. On les considérait comme des pièges pour l'infanterie et l'artillerie, et la prise des forts de Liège, les plus puissants d'Europe, avait montré qu'aucune fortification ne pouvait résister aux obusiers lourds de 420 sortis des usines Krupp.

Il reste que si l'on avait jugé utile de faire tenir certaines places, les généraux devenaient des gouverneurs responsables de biens de l'État, arsenaux, forts et magasins de munitions, et qu'ils ne devaient les rendre à aucun prix, et surtout pas intacts. Les destructions à Lille avaient été insuffisantes, elles n'étaient pas totales à Maubeuge. L'abandon à l'ennemi de moyens et de matériel de guerre était une faute professionnelle dont il fallait se justifier. Joffre, officier du génie, serait le premier à exiger des comptes. On était plus regardant sur les biens, sur les fonds du gouverneur, que sur la vie des hommes. Si les pertes étaient modérées, c'est que les combats n'avaient pas été assez ardents.

On n'était pas encore arrivé au point de la guerre où l'on comptait les hommes comme les chevaux ou les canons. Ils n'étaient pas entrés dans la statistique, tant qu'on croyait encore au mythe de la guerre courte. L'idée ne venait pas aux officiers d'état-major de condamner les généraux parce qu'ils avaient éprouvé des pertes humaines dans leurs unités. On les remplaçait parce qu'ils avaient commis des erreurs tactiques, manqué une manœuvre, oublié d'éclairer leur marche ou de protéger leurs flancs. On sanctionnait la faute, non la perte de vies humaines. Sans la faute, pensait-on, les hommes eussent été épargnés.

Ainsi, du point de vue de Joffre, les généraux n'étaient pas coupables, mais seulement responsables de leur action militaire. S'ils avaient commis une faute, elle n'était pas un crime. Seul le général qui s'était suicidé après la perte de son unité était vraiment coupable, il fallait juger son fantôme : il avait renonçé à l'action, oublié les ordres et sa mission. Le suicidé était impardonnable : il avait pêché contre le devoir militaire, ne se sentant plus responsable d'une troupe dont il avait la charge.

L'état-major n'avait à sanctionner que des fautes : par exemple celle du général Gillain, brillant cavalier, commandant une division de cuirassiers et de dragons. Il n'avait pas su renseigner efficacement le général Sarrail, alors commandant du 6e corps, sur la menace de trois corps allemands qui avançaient à sa rencontre. Le cavalier devait être au plus tôt renvoyé au manège, sans autre forme de procès.

Le motif de renvoi du général Martin, au 5e corps de Brochin, était aussi une faute militaire, non un crime. Il n'avait pas réussi à tenir en main ses troupes débandées. Pourquoi les fantassins de Blois, d'Orléans et de Montargis s'étaient-ils enfuis en désordre ? Étaient-ils devenus des lâches, au premier coup de canon ? Ils avaient reculé pour une seule raison : les pertes sanglantes subies sans aucune justification. Le général Martin commandant la division les avait tenus groupés sous le tir de l'artillerie lourde allemande, sans aucune protection.

Fautifs aussi, mais non coupables, les généraux Auger et Trintinian. Le général Auger, qui commandait la 10e division parisienne avait été retrouvé prostré au siège de son état-major. « J'étais, écrirait-il plus tard au ministre, dans un état de fatigue cérébrale. » Ses soldats n'étaient pas fatigués, ils étaient morts.

Comme ceux du général de Lartigue, de la division du Mans. Pas coupable, pas condamnable, fautif seulement, incompétent. A qui revenait la faute, à celui qui avait reçu le commandement, étant inapte, ou à celui qui l'avait donné ? Lartigue avait lancé les soldats de Laval et du Mans à l'attaque de positions bien retranchées : sept cents morts sur trois mille par régiment. A celui de Mayenne, mille hommes seulement survivaient, accablés et traumatisés par le bombardement qu'ils avaient subi. Le général de Trintinian avait aussi accusé beaucoup de pertes. Mais il n'était pas sanctionné pour ce motif. Il avait commis l'erreur impardonnable, dénoncée par les professeurs de tactique, condamnée par les textes, de faire passer ses pantalons rouges de la division parisienne « dans les fonds où se trouvait le village d'Ethe, sans avoir attendu que le 14e hussards ait reconnu les abords des forêts avoisinantes ». La faute était claire, le général était muté.

Ils seraient encore nombreux à recevoir des sanctions lors de la terrible année 1915 où Joffre avait accumulé cent jours d'offensives meurtrières. L'absence de résultats contre les lignes bétonnées allemandes, hérissées de barbelées, avait conduit le commandement français à changer fréquemment les chefs d'unité, sans jamais les condamner. Ils seraient en disgrâce, ou écartés du commandement, sur le modèle des généraux disgraciés de la Marne ou de la bataille des frontières. Jamais pour avoir envoyé les hommes à la mort.

Les experts de l'état-major raisonnaient désormais en ressources humaines, calculant à l'avance le coût des offensives et le remplacement des pertes. Les généraux français et allemands s'étaient laissé entraîner dans le concept de guerre d'usure. Comment sanctionner les pertes en vie humaine, alors qu'on considérait qu'elles étaient le prix à payer pour la victoire ?

CHAPITRE III

Le scandale de Douaumont

On pensait donc à l'état-major que les fortifications ne comptaient pas. Non seulement elles étaient inutiles, mais l'expérience de la capitulation de Maubeuge avait prouvé qu'elles étaient nuisibles. Joffre avait obtenu du ministre Millerand le décret du 5 août 1915 affirmant l'impuissance matérielle de toute fortification permanente sans exception, autorisant l'abandon des forts et la dispersion des approvisionnements. Ainsi le gouverneur de la place de Toul avait-il appris de la bouche d'un officier d'état-major que ses défenses devaient être supprimées. Elles avaient coûté des millions d'entretien et de réfection à la République.

Le général d'artillerie Rouquerol écrirait en 1931 un ouvrage [1] pour démontrer l'absurdité de la thèse de l'*offensive* à tout prix, qui nous avait fait perdre sans combat le fort de Douaumont à Verdun. Rouquerol illustrait ainsi au début des années trente l'opinion dominante du nouvel état-major français, défendue par Pétain et Weygand, de la *défensive* à n'importe quel prix, au prix de la ligne

1. Général J. Rouquerol, *Le Drame de Douaumont*, Paris, Payot, 1931.

Maginot. Une erreur dogmatique en remplacerait une autre.

En 1915, Joffre ne songeait encore qu'à l'offensive. Il gémissait quand la coterie Gallieni-Briand lui avait retiré une division de zouaves d'Afrique du Nord pour l'expédier aux Dardannelles, avec l'escadre de guerre franco-britannique. Il s'opposait à l'aventurisme du général Franchet d'Esperey qui avait tenté de convaincre Poincaré d'envoyer une expédition à Salonique, au secours des Serbes et des Russes. Certes, il voulait aider le tsar, mais en attaquant en France avec le renfort des divisions K [1].

En 1915, Aristide Briand, partisan de l'extension de la guerre en Orient comme Winston Churchill à Londres, était devenu vice-président du Conseil chargé des Affaires étrangères. Soutenu par le ministre de la Marine Augagneur, il s'opposait à Millerand, ministre de la Guerre, qui soutenait constamment Joffre. Les politiques, en obtenant l'envoi d'une division en Orient, l'avaient emporté pour la première fois sur l'état-major. Et beaucoup de généraux s'engouffraient désormais tête baissée dans des coteries. On attendait Joffre au tournant.

Plus le général en chef lançait des offensives sur son front, plus leur échec devenait sanglant, jusqu'à épuiser l'armée française. La première affaire grave de février 1915, en Champagne et en Artois, entraînait une nouvelle valse de généraux et des rapports tendus entre Joffre et les chefs d'armée. Langle de Cary se plaignait à Poincaré de n'avoir pu engager ses réserves au bon moment. C'est aussi Poincaré que visitait Franchet d'Esperey pour

1. On appelait ainsi les troupes levées par lord Kitchener pour constituer progressivement une armée nationale par conscription.

recommander une expédition en Orient. Les deux cent vingt parlementaires mobilisés ne manquaient, pas, au cours des sessions de la Chambre où ils avaient le droit et le devoir d'être présents, d'alerter le milieu politique sur les erreurs du commandement. Joffre avait attaqué sans attendre l'artillerie lourde et des munitions en nombre suffisant.

Le général en chef se retournait contre ses généraux. Le général Putz avait-il échoué sur le champ de bataille secondaire des Vosges ? Limogé ! Remplace par Maud'huy. Sarrail n'avait pas pris la butte de Vauquois : Joffre envoyait Dubail, chef du groupement des armées de l'Est, en « mission d'enquête » sur cet échec. Dubail relevait les fautes : l'artillerie avait tiré trop long, les assaillants avaient perdu du temps à fouiller les caves du village. On avait laissé l'ennemi se ressaisir. Après un tel rapport, Sarrail était en instance de disgrâce, même s'il se défendait comme un diable.

Micheler, chef d'état-major de Sarrail, commentait sans aucun humour la maigreur des résultats obtenus au prix de lourdes pertes. « Nous avons repris la moitié du bois de Sapin, écrivait-il dans un compte rendu, nous sommes maîtres de la tranchée NH située à l'arrière de l'angle d'épaule. » Après avoir évacué leurs fortifications, les Français découvraient l'ampleur et l'invulnérabilité des défenses souterraines allemandes, précisément creusées selon l'art de la polyorcétique, l'art de protéger et de prendre les places fortes.

Qu'importait si les fantassins accusaient des pertes de 40 % en avançant de deux cents mètres en deux heures sous le feu des mitrailleuses : les généraux invoquaient pour leur défense le manque d'approvisionnement en munitions. Grossetti, le brave indomptable, n'avait pas réussi à prendre le bois du Sabot, et les « cavernes-abris » des environs de Perthes. Il s'en défendait en pestant contre la lenteur des secours.

Langle de Cary donnait à ses chefs de colonne l'ordre d'avancer à tout prix. Ils devaient se résigner « à ce que la progression se fasse sous le feu », faute de soutien d'artillerie [1]. Il réclamait en vain 60 000 coups par jour, il n'en recevait que 36 000. Qui était coupable ? Le ministre de la Guerre, soutenait Joffre, incapable à l'évidence de nourrir la bataille.

Il fallait aussi nourrir les effectifs. L'état-major calculait déjà la moyenne des pertes : 150 000 hommes par mois. Au gouvernement de lever les remplaçants, en levant par anticipation la classe 1916. Viviani s'indignait des plaintes de Joffre : « Il veut faire croire, disait-il à Poincaré que c'est par notre faute qu'échoue son offensive. Lorsqu'il l'a engagée, il savait très bien à quoi s'en tenir sur les fabrications. Il veut rejeter sur le gouvernement les fautes qu'il a commises. » Poincaré lui-même, ne croyant plus aux offensives, en venait à rappeler à Joffre les « droits du gouvernement ». Joffre lui-même serait-il limogé ?

Il obtient un « nouveau crédit » pour la deuxième offensive de mai-juin dans l'Artois. Elle est aussi calamiteuse que la première. Les soldats d'élite de Pétain ne parviennent pas à se maintenir sur les

1. Langle de Cary, commandant la 4e armée, écrivait avant l'assaut du 7 mars 1915 à ses chefs de corps : « Une troupe ayant gagné du terrain subira moins de pertes en prenant résolument le parti de la fuite en avant qui la conduit au but qu'en essayant de regagner péniblement ses positions de départ. »

positions chèrement conquises, faute de renforts et de soutien d'artillerie. On leur a donné l'ordre de répéter les assauts malgré l'absence de canons lourds. L'avance sous les nuées de gaz asphyxiants a provoqué de lourdes pertes. Les défenses allemandes étaient « entièrement truquées », invisibles aux aviateurs, révélées au dernier moment.

Pour la première fois, les chefs de corps ont manifesté leur hostilité à l'état-major. 84 000 hommes ont été perdus en Artois du 6 mai au 18 juin 1915. Pétain a demandé avec instance quinze jours de délai avant de reprendre l'offensive. Il a fait savoir à Raymond Poincaré que l'offensive avait échoué « à cause de la méthode déplorable » d'attaques lancées sans protection, et parce que l'état-major n'avait pas consulté les généraux d'armée et de corps d'armée.

On constate que des généraux osent désormais intervenir pour ménager la vie des hommes, comme ce Cadoudal qui refuse de partir dans la boue de Picardie à l'assaut d'une position imprenable. Ils interviennent même pour sauver les soldats du peloton d'exécution. Les généraux Roques et Cordonnier écrivent à Poincaré pour demander la grâce de vingt-trois soldats du 56e régiment d'infanterie de Chalon-sur-Saône condamnés pour avoir abandonné une tranchée au bois d'Ailly.

Il est temps de réagir contre la dangereuse évolution du « moral » de la troupe. Un général français a reçu des balles de fusil Lebel sur sa voiture. On traite le général Duval d'assassin dans les rangs. Les généraux de groupes d'armées, Foch pour le nord, Dubail pour l'est, Castelnau pour le centre, exigent de Joffre qu'il « change de méthode », qu'il laisse l'initiative aux chefs de corps, que cesse le pouvoir obscur d'un « état-major pléthorique, trop loin de la troupe ». C'est la révolte des képis.

Conscient de la menace de démoralisation de l'armée après les pertes trop lourdes et les résultats inexistants, Poincaré et Viviani exigent d'être consultés avant toute nouvelle offensive : « Je ne puis rester sur la défensive, répond, Joffre, impavide, nos troupes perdraient peu à peu leurs qualités physiques et morales. » En dépit des critiques accumulées par les militaires de haut grade, des angoisses du milieu politique dominant, Pétain et Langle de Cary, les chefs de la résistance à Joffre ne peuvent que s'aligner : il a obtenu neuf cents canons lourds, grâce aux progrès rapides de la fabrication.

L'énergique Albert Thomas a remplacé le général Baquet, enfin limogé, aux fabrications de guerre. Millerand espère sauver son ministère par cette mutation qui met fin à l'attitude constamment hostile des fonctionnaires galonnés, défenseurs des arsenaux de l'État contre l'industrie privée. Ceux-là même qui ont plaidé pour le « tout-75 » avant la guerre. Un coup de pied dans la fourmilière. Désormais toute la France fabriquera des obus, et le privé, des canons lourds. C'est le socialiste Thomas qui patronne et stimule l'opération, dont le bénéficiaire essentiel est la firme du Creusot, Schneider.

Joffre peut compter en outre sur les divisions Kitchener débarquées en France, qui lui permettront de monter sa troisième et quatrième offensive, à cheval sur l'Artois et la Champagne. Il retrouve son autorité sur les généraux en limogeant Sarrail en juillet, après une opération désastreuse de la 3e armée dans l'Argonne [1].

1. Sarrail, éloigné du front français, où il commandait la 3e armée, sera nommé commandant en chef du corps expéditionnaire à Salonique, où Joffre est bien décidé, malgré Briand et Paul Doumer, à ne pas envoyer de renforts.

Il emporte de nouveau la décision d'engagement de sa prochaine offensive. A la Chambre, il est ovationné. On rapporte ses paroles : « La bataille que nous allons engager sera la plus grande bataille de l'année. » Enfin, la victoire ! Les députés n'en peuvent plus d'attendre. « Nous tuerons à l'ennemi plus de monde qu'il ne nous en tuera », ajoute Joffre, prévoyant peut-être les conséquences dramatiques d'un nouvel échec. Pourquoi s'inquiéter, si le solde des massacres est positif ? Qui s'inquiète ? Pétain et Langle de Cary sont gavés de pièces lourdes, ils touchent chacun trois cents 155 courts, tout neufs, sortis des usines Schneider. On laisse faire Joffre. A-t-on le choix ?

De nouveau les morts s'accumulent, bien que le casque Adrian, enfin mis en service, sauve des milliers de soldats des blessures mortelles au crâne. Ni la Légion, ni la division marocaine, ni les fantassins du 20e corps, ni les Bretons héroïques ne peuvent venir à bout de la forteresse enterrée du Bois-Sabot en Champagne, ni de la ferme Navarin ou devait tomber le général Marchand, du 2e corps colonial.

Les capitaines ne sont plus d'accord sur l'offensive qui s'engage, sur des bases toujours insuffisantes : « Mon avis personnel, télégraphie Antoinat, d'un bataillon venu des Alpes, est qu'il faut une préparation d'artillerie sérieuse. » Des canons, toujours plus de canons. Les tubes de 75, rougis au feu, explosent. Ceux de 155 manquent d'obus. Le capitaine Aublet, du 20e corps, enrage, il a trouvé devant lui les « feux de batteries intactes de l'ennemi, les mitrailleuses restées intactes et les réseaux de fil de fer non coupées ». Impressions directes après l'assaut, télégraphiées des PC.

Les généraux protestent aussi. Curé le premier,

qui a pu retrouver un commandement. Et Pétain, qui refuse de faire monter en ligne la 31e division, faute de soutien d'artillerie. Et Franchet d'Esperey, qui se plaint de manquer de munitions. Et Paulinier, qui avertit ses chefs d'unités : ils n'ont pas le droit de lancer leurs hommes à l'attaque tant qu'ils ne sont pas sûrs que « les défenses accessoires ont été neutralisées ».

Quand sonne la fin des combats, en octobre 1915, le général Fayolle note, amer, sur son carnet : « Maintenant il reste démontré que la percée n'est plus possible. Que faire désormais ? La solution n'est plus à attendre que de l'usure économique. » Quand les usines fermeront, il n'y aura plus de guerre. Qui peut y croire ?

Le 21 février 1916, les Allemands, vainqueurs en Russie, veulent faire la preuve à l'ouest que leur puissance industrielle peut avoir raison d'une petite partie du front, choisie à titre d'exemple, en raison de son prestige en Europe : la place de Verdun.

L'obstacle essentiel, du point de vue allemand, est le fort de Douaumont. Il domine le champ de bataille de sa masse. Les Allemands redoutent d'en donner l'assaut et l'appellent *Sargdeckel* (le couvercle de cercueil). La 5e division de Brandebourg, une troupe d'élite, en est chargée.

Les Prussiens ne peuvent savoir que le décret du 5 août 1914 signé de Raymond Poincaré désarme toutes les fortifications. Millerand devait en donner lecture à la séance du comité secret de la Chambre du 16 juin 1916 aux députés impatients, indignés de la chute du fort. Il était précisé que la « défense du territoire dépendait exclusivement des armées en campagne » et que le désarmement des places était ordonné. « Toutefois, ajoutait l'instruction complémentaire du 9 août [1], l'importance morale qui s'attache à la possession de Verdun apporte quelques tempéraments à cette conception », même si la RFV (région fortifiée de Verdun) n'a pas d'importance en elle-même. Elle ne tire son utilité que du service momentané qu'elle rend à nos armées d'opération : « Elle ne doit en aucun cas être défendue pour elle-même, et le général qui la commande ne doit à aucun prix s'y laisser enfermer. »

Le général Herr, chargé de la défense et du commandement de la 2e armée, celle de Verdun, doit intégrer les forts dans la ligne de défense, sans se soucier de les défendre pour eux-mêmes. La garnison a donc été supprimée, ses cinq cents hommes affectés aux unités de campagne, et les munitions en partie évacuées. Mais l'armement des tourelles et de la défense des fossés est resté en place, ainsi que le réseau de barbelés. Le général Boichut, chargé de l'artillerie de la RFV, se rend au fort au début de février et constate que le service de ces tourelles n'est plus assuré. Il envoie sur place des artilleurs de la territoriale pour s'initier au maniement des pièces sous la direction du gardien de batterie Chenot, resté seul dans la place avec cinquante-sept hommes, au matin du 25 février 1916.

Le fort est le premier à être bombardé pendant cinq jours par les plus gros calibres, avant l'assaut général du 21 février, lancé par von Falkenhayn et le Kronprinz en personne sur le front de Verdun. Le réseau de barbelés est en partie détruit, quelques remparts ouverts, mais l'armement est en état de

1. L'instruction était signée par le général Dubail, commandant du groupe des armées de l'Est.

tirer et les voûtes sont restées intactes. Un troupe nombreuse aurait pu s'y abriter. Personne n'en avait informé [1] Chenot, le 21 février. Il ordonnait le tir de sa tourelle de 155 sans savoir que le front français avait reculé sous la pression de l'ennemi.

Les soldats du 24e brandebourgeois avaient reçu pour ordre de s'arrêter à huit cents mètres du fort. Mais le lieutenant von Baudis, commandant la 8e compagnie, ouvrit à la pince une brèche dans un réseau de barbelés, sans être moindrement contrarié, et surprit dans la cour du fort Chenot et ses territoriaux qui se rendirent aussitôt. Le capitaine Haupt pouvait faire son entrée dans la place et annoncer au commandement allemand la prise définitive du fort de Douaumont.

Haupt et von Baudis reçurent la croix « pour le mérite » et devinrent des héros de la presse d'outre-Rhin qui titrait en manchettes, *Douaumont ist gefangen* comme s'il s'agissait d'une grande victoire. Les Français allaient-ils réagir ? une faible brigade se mesurait à l'est de la position avec trois divisions dans la nuit du 24 au 25 février 1916. Une autre brigade, à l'ouest, du côté du village de Douaumont, était repoussée férocement par l'attaque allemande. Mangin reprochera plus tard aux deux brigadiers de ne pas s'être « donné la main ». Qu'auraient-ils pu changer à la situation, alors qu'ils étaient assaillis, l'un comme l'autre, par des forces très supérieures, et qu'ils ignoraient la scène de l'étrange reddition du fort, où pas un coup de fusil n'avait été tiré ?

Le général Rouquerol, le lendemain de la perte du fort, fait état de la perplexité des officiers du secteur. Ils croyaient qu'on leur avait ouvert la porte de la

1. Voir Rouquerol, *op. cit.*, p. 18.

forteresse. Ils se demandaient pourquoi la garnison avait été évacuée. « Les troupes de campagne étaient ignorantes des fâcheuses improvisations de l'autorité supérieure. » La perte de Douaumont représentait l'équivalent en force de frappe d'un corps d'armée ou, selon le général d'artillerie, « la perte de centaines de milliers d'hommes ».

Qui en était responsable ? Le général Herr, commandant à la fois la place de Verdun et l'armée ? L'état-major de Joffre qui avait donné l'ordre d'abandonner sans se soucier des menaces d'offensive allemande dans ce secteur ? Le général de Langle de Cary, chargé de la disposition des unités françaises dans la zone ? Il semble que l'affaire de Douaumont ait été escamotée, comme un épisode honteux. Il n'en est pas question dans la séance de juin 1916 du comité secret de la Chambre dont une grande partie a été consacrée à la bataille de Verdun. Comme si la reconquête du fort en octobre n'avait pas entraîné le sacrifice inévitable de dizaines de milliers de soldats.

Que s'est-il passé à Verdun, pour que Douaumont tombe comme une poire blette entre les mains de l'ennemi ? Le commandement a changé. Le général Herr a demandé que le titre de gouverneur de la place de Verdun lui soit retiré, puisqu'il est, comme un général ordinaire, placé sous les ordres du commandant du groupe des armées de l'Est. Le général Dubail, responsable de Verdun, a d'abord estimé que cette prétention ne devait pas être reconnue.

Joffre a nommé Herr « commandant de la région fortifiée et gouverneur de Verdun » avec, sous ses ordres, trois généraux commandant des secteurs :

Coutanceau au nord, avec la 72e division, la 132e et une brigade sur la rive gauche de la Meuse. Le général Duchêne, bien vu de Joffre, tient le secteur sud avec son 2e corps d'armée. La place elle-même est couverte par les troupes de Cauboué.

Le fort de Douaumont n'est pas compris dans les positions des deux premières lignes, qui ont creusé le sol et construit des abris plus au nord. Avec le fort de Vaux et celui de la Laufée, il compose une première ligne de résistance de la rive droite et sa cote élevée de 388 mètres le désigne comme excellent observatoire. Il appartient au général Herr de transformer la place pour qu'elle s'intègre dans la stratégie globale de défense de la RFV.

Elle doit abriter les approvisionnements nécessaires aux 164 000 combattants de l'armée, mais pas plus de munitions ni de canons qu'il n'en faut pour la défense. Ainsi, selon la directive du 4 septembre 1915, les munitions d'artillerie sont enlevées au fort de Douaumont pour être réparties ailleurs. Il est pourtant prévu que l'ouvrage doit être conservé « comme ligne de repli éventuel », dans l'instruction du 9 août, et qu'il doit garder « ses moyens de défense propres ».

Fort des instructions du général en chef et du décret du 9 août, le général Dubail, responsable de la région, étudie non seulement l'abandon des forts, mais l'évacuation, en cas de besoin, du saillant de Verdun, en particulier le « terrain avancé sur la rive droite de la Meuse », la Woëvre. Herr fait en sorte que des travaux de première ligne établissent la liaison avec la 3e armée plus à l'ouest et veille à l'organisation du Mort-Homme sur la rive gauche du fleuve. Là se porte son attention, ainsi qu'à la couverture de son flanc droit. Il ne se soucie nullement de Douaumont.

D'août à octobre 1915, Joffre a constamment retiré des troupes et de l'artillerie du secteur de Verdun pour livrer sa dernière offensive en Champagne. Dubail convient, à la fin de septembre 1915, que la situation à Verdun est « délicate » parce que la région a été victime des prélèvements les plus importants de l'état-major. Il est ainsi difficile d'organiser les travaux de défense, faute de main-d'œuvre. Les renforts lui arrivent à partir de fin octobre 1915, des troupes échappées à la boucherie de Champagne. Le 26 décembre, Herr se dit satisfait de l'avancement des travaux.

A partir de janvier 1916 les premiers renseignements annoncent la possibilité d'une concentration allemande sur Verdun. Dès le 11, Joffre envisage de renforcer le saillant. Les renseignements se confirment en février : les Allemands préparent une offensive à l'ouest et Verdun est une des cibles possibles. On y signale l'arrivée d'une artillerie de gros calibre et l'installation du Kronprinz à Spincourt. Mais si Joffre s'attend à une attaque dans la région, il n'est pas sûr « que là se portera seulement l'effort de l'ennemi » [1].

Le généralissime décide de retirer la RFV à Dubail pour la mettre aux ordres du groupe d'armées du Centre, commandé par Langle de Cary. Un 30e corps d'armée commandé par Chrétien alignera à Verdun, dans le secteur nord, les 72e et 132e divisions avec le renfort d'une brigade territoriale. Herr, Langle de Cary, Chrétien, autant de généraux qui deviendront des boucs émissaires de l'hécatombe.

L'attaque contre la fragilisation des troupes de Verdun par un trop grand recours aux « pépères »

1. AFGG, t. IV, 1er vol., chap. VI, p. 153.

de la territoriale se développera au comité secret de la Chambre en juin 1916. Il est vrai que les territoriaux composent le tiers des effectifs de la garnison de Verdun, ce qui sera reproché à Joffre [1]. Mais le général Herr obtient des renforts, notamment en artillerie, et il sait qu'il peut disposer de la montée en ligne des unités du 7e corps, placé en réserve. Il signale en janvier que les pluies ont rendu les positions fragiles et que son front doit être renforcé en unités de travailleurs.

Castelnau, chef d'état-major général, se déplace le 20 janvier sur la ligne de Verdun et critique l'absence de « positions de flanquement ». Deux divisions doivent travailler d'arrache-pied à remettre les défenses en état. On ne s'intéresse qu'aux fortifications de campagne. Aucune observation sur Douaumont, qui n'est pas compris dans les deux premières lignes de résistance, mais situé en arrière.

Les travaux se poursuivent et le général de Langle de Cary écrit au général Herr, le 11 février 1916, qu'il ne peut plus être question d'une offensive française sur le front de Verdun, mais bien de résister « à une puissante offensive dans le genre de celle que nous avons entreprise en Champagne, le 25 septembre dernier ». Voilà Herr prévenu : il aura sur le dos toute l'armée allemande.

Mais Joffre n'y croit pas encore. Il persiste à penser que Verdun peut être une attaque de diversion. Il ne songe qu'à préparer sa propre offensive avec les Britanniques sur la Somme. Il se contente, pour surveiller Verdun et parer au plus pressé, d'une équipe de généraux sans prestige, Chrétien et Herr, chargés d'un secteur au relief difficile, champ de

1. 36 bataillons sur 96. Voir *ibid.*, p. 159.

bataille jusque-là secondaire de la ligne du front. Dans l'esprit de Joffre, l'artilleur Herr, polytechnicien soigneux, méthodique, attentif au détail, doit suffire à la besogne. On n'attend pas de lui des miracles, mais de l'économie dans l'utilisation des moyens, et la construction d'une ligne de défense aussi solide que possible. Dans les tranchées de l'avant extrême, le général Boulangé dispose des unités de la 51e division, proche de la 72e division commandée par le général Bapst. Bapst et Boulangé seront aux premières loges de l'attaque ennemie. Autres noms désignés pour le train des généraux en partance pour Limoges en cas d'avarie du front.

Bapst signale les inconvénients de sa situation et la difficulté d'acheminer les ravitaillements, les renforts, les convois de blessés de se croiser et se dépasser. Le 11 février, Langle de Cary répond par une instruction complémentaire adressée aux chefs de corps, qu'il sera possible « d'écraser dès le début du bombardement ennemi les tranchées de l'adversaire » et qu'il faut engager cette action « sans attendre d'ordres ». Bonne nouvelle pour le poilu !

Le général Herr envoie lui aussi une instruction prodiguant des recommandations aux fantassins et aux artilleurs. « Il est persuadé que les conditions dans lesquelles s'engagera l'action et l'énergie des troupes permettront d'infliger à l'ennemi un échec complet » (12 février). Aucun de ces officiers n'a prévu les moyens de s'opposer à l'ampleur de l'offensive allemande dont ils n'imaginent pas les formidables ressources en artillerie et en armes chimiques. Ils ne s'étonnent pas des défaillances du service de renseignements, ni des faiblesses de l'observation aérienne, qui leur font accepter la bataille en aveugles.

Dans l'affrontement qui se prépare, personne ne songe à utiliser le fort de Douaumont, pourtant situé à l'arrière immédiat des lignes et l'un des points de convergence de l'assaut allemand. L'optimisme des généraux disparaît de jour en jour, quand ils sont informés de la menace allemande. Le 19, Herr demande des renforts :

« J'estime que les forces dont je dispose sont insuffisantes, notamment en artillerie légère », dit-il. Langle de Cary lui expédie deux divisions de secours et Joffre accepte d'affecter le 20e corps d'élite à la défense de Verdun, avec quelques moyens lourds.

Mais Langle de Cary se refuse à éloigner des premières lignes les territoriaux, parce que, dans son esprit, ils n'en sont que les occupants provisoires. C'est la deuxième ligne qui doit servir d'arrêt.

Toutefois, le général précise que tout combattant n'a qu'une consigne : « Défendre jusqu'à la mort la position qui lui est confiée, quelle qu'elle soit, et sans avoir à faire de distinction sur le rôle de cette portion de ligne ». Ce rôle est « du ressort du commandement ».

Comment les chefs seront-ils en mesure de suivre le combat des unités prises sous le bombardement ? A-t-on prévu une organisation des liaisons ? Le général Herr suggère seulement de construire des « lignes de liaison avec les postes de commandement par des câbles sous plomb ». Mais il ajoute : « Ce sont là travaux de longue haleine. »

Herr commente à sa manière les instructions du général de Langle de Cary : « Il importe de bien préciser, écrit-il, la portée de la note personnelle et secrète qui a été transmise aux généraux commandant les corps d'armée. » La note « n'est pas exécutable à la lettre »[1]. Elle n'est pas faite « pour les exécutants », et doit être adaptée par les chefs de corps « suivant les circonstances ». A ceux-ci de répartir leurs troupes comme ils le jugent utile en fonction des situations. Une seule nécessité : « tenir à outrance dans les postes, aussi bien sur la première que sur la deuxième position ».

Le général Chrétien croit avoir parfaitement compris cette instruction. Le 20 février, il ordonne aux trois divisions de son 30e corps de « défendre la première position à outrance ». Le message est reçu à l'échelon inférieur de la division par Bapst, commandant de la 72e, en tête du dispositif français au nord du CRV : « Une attaque par surprise, écrit-il alors, ne semble pas à craindre en raison de l'éloignement des tranchées ennemies. Pour l'arrêter, il suffit que nos avant-postes soient attentifs et signalent l'arrivée de l'ennemi à l'artillerie. »

Ces généraux font du *Kriegspiel* en chambre, comme si la première ligne et l'artillerie de riposte n'étaient pas destinées à être écrasées dès les premières heures du bombardement, comme si l'ensemble du commandement ignorait la puissance de la force de frappe allemande.

Herr compte sur les feux d'artillerie pour contenir l'avance ennemie. Il n'imagine pas que ses batteries puissent être anéanties d'entrée de jeu par le feu allemand. Il attache pourtant beaucoup d'importance au détail : ainsi, sur une durée prévisible de 36 heures d'attaque aux gaz continue, il prescrit de prévoir un double jeu de masques (la durée dépasse leur efficacité) et d'organiser des relèves

1. *Ibid.*, vol. 1, annexes, p. 554.

pour que les hommes puissent manger sans s'empoisonner.

Les poilus de Bapst sont aux premières loges. Derrière eux, le fort est seulement compris, sans être pourvu en troupes de garnison, dans une troisième position qui court de la cote 310 à Douaumont. Le général Herr a organisé dès le 20 février avec la Direction de l'arrière une commission régulatrice des transports siégeant à Bar-le-Duc, chargée de réguler la « voie sacrée » des camions pour Verdun.

Les lacunes de la défense apparaissent au matin du 21 février, jour de l'attaque allemande. Les lignes sont discontinues, séparées par des massifs de barbelés ou de fascines. Seules quelques mitrailleuses sont sous cloches blindées. Les casemates à l'épreuve du bombardement sont rares. Les « abris-places d'armées » commandés par Castelnau sont loin d'être achevés. Les boyaux sont souvent manquants sur la deuxième position. Quant à la troisième ligne dessinée sur le papier, les grands « centres de résistance » qu'elle doit relier ne sont pas achevés. On a envisagé d'abriter les munitions et les hommes sous les forts de Froideterre, Thiaumont et Douaumont qui pourrait accueillir six compagnies dans le fort lui-même, dans l'abri au sud-est et dans les baraquements. L'ouvrage est à l'épreuve, croit-on savoir, de la plupart des obus lourds.

Le 21 février au matin, une compagnie de chacun des deux bataillons du 208e régiment de Saint-Omer est abritée en réserve à Douaumont. Mais ces unités n'ont pas mission de défendre la position, elles partiront au combat pour relever les troupes décimées au nord, lors de l'attaque allemande. Les dispositions prises pour contrebattre le

Trommelfeuer sont dérisoires : 89 canons de 75 et 14 pièces lourdes à tir rapide pour le premier jour contre 7 000 canons allemands. Le général Herr n'est doté que d'un dispositif renforcé en vue d'une attaque dont on ne reconnaît pas le caractère massif, exterminateur.

Les ordres donnés à l'infanterie par les généraux responsables, Langle de Cary, Herr et Chrétien, ne sont pas clairs. Il est prévu de tenir des lignes clairsemées sur la première position pour éviter l'écrasement. Mais la consigne reste « de tenir à outrance sur place ». Cela veut dire se faire tuer aussi sur la première position.

Le 20 février, Chrétien module sa prescription du 16 février sur le territoire que doit tenir chaque unité dans la bataille. Cette note, dit-il « n'est pas intangible ». Les généraux de division « peuvent la modifier » car « à la guerre, rien n'est immuable » et chaque chef doit garder l'initiative. La mission du général Chrétien, commandant du 30e corps, est de n'intervenir « que pour rectifier une disposition qu'il ne jugerait pas opportune ».

Ainsi les poilus dépendent, pour leur survie, des appréciations des généraux, de leur manière de concevoir le « tenir à outrance ». Un chef usant de son initiative peut sauver des hommes, un autre, appliquant la consigne avec rigidité, peut les laisser exterminer. Chaque type d'officier peut interpréter à sa manière et selon son tempérament la directive du général Chrétien.

Dès le 21 février, à 7 h 30, le terrain du combat est bouleversé de fond en comble sur toutes ses lignes. Chrétien téléphone à Herr que Douaumont aussi est bombardé par les plus gros calibres, dont les obusiers de 420. Le capitaine Seguin [1], au bois des Caures, décrit ainsi l'épouvantable épisode : « En sortant de nos abris, nous ne reconnaissions plus le paysage... Il n'y avait presque plus d'arbres debout... il y avait un tel enchevêtrement de fils et d'arbres que tout constituait encore un obstacle sérieux pour les assaillants ; les boyaux de communication n'existaient plus, les tranchées par contre avaient été fort touchées mais étaient encore utilisables. » Paradoxalement, le bombardement avait remué le terrain de fond en comble, creusant des trous-abris et des défenses improvisées : l'infanterie pourrait s'enterrer sans creuser.

Les généraux sont aveugles, sans nouvelles des unités de tête. Boulangé, de la 51e division, réussit à faire parvenir de rares messages à Chrétien, commandant le 30e corps, qui informe Herr comme il peut. Celui-ci, comprenant l'urgence de l'arrivée de renforts et la nécessité d'évacuer les très nombreux blessés, s'acharne à organiser les convois de camions de la voie sacrée. Langle de Cary, conscient de l'opacité du front et des faiblesses de l'observation qui n'a pas su mesurer l'importance de la masse d'artillerie allemande demande enfin des renforts d'aviation, particulièrement des chasseurs armés de mitrailleuses pour protéger les appareils de repérage. Quant à Joffre, il expédie sur Verdun la meilleure unité de l'armée, le 20e corps de Balfourier.

Les divisionnaires aux ordres de Chrétien engagent la contre-attaque en prenant pour cible les infiltrations allemandes dans les bois du nord du front. Herr s'occupe des renforts d'artillerie. Dès lors, de jour en jour, la bataille absorbe les réserves

---

1. Capitaine Seguin, de 59e bataillon de chasseurs à pied, cité par AFGG, *ibid.*, p. 218.

disponibles. Elles fondent sous le feu de l'artillerie que les canons français ne peuvent combattre. Le 22 février, Herr parle déjà de la deuxième position « à défendre coûte que coûte ». La première est enfoncée.

Les Allemands se rapprochent donc de Douaumont dont pas un général ne se soucie. Herr fait reculer ses canons dans la journée du 22 février, pour éviter leur écrasement. Il n'y a donc presque plus de soutien d'artillerie pour les fantassins du général Bapst qui donne l'ordre, le 23 février peu après minuit, d'évacuer le village intenable de Brabant-sur-Meuse. Chrétien s'en indigne, Herr s'en offusque. Ils envoient des renforts, pour reprendre le village. Un bataillon est taillé en pièces par l'artillerie ennemie. Chrétien annule alors son ordre en raison, dit-il, de la fatigue des troupes.

Langle de Cary a réagi vivement à la nouvelle du recul de Bapst : « Je ne comprends pas, télégraphie-t-il que le village de Brabant ait pu être évacué volontairement. L'occupation de tout point, même débordé, de tout îlot, même complétement entouré, doit être maintenue à tout prix... Il ne doit y avoir qu'une consigne, tenir, tenir coûte que coûte, en vue de la contre-attaque, que celle-ci puisse arriver à temps ou non. »

Ainsi se trouve programmé le sacrifice de l'infanterie à Verdun. Plus question de repli tactique, il faut s'accrocher au terrain. Langle de Cary intervient en personne au PC de la 51e division. Il ordonne à Boulangé d'attaquer le bois de la Wavrille. Échec. Bapst signale que sa 72e division est épuisée. Boulangé lance des appels au secours à la 51e. Joffre délègue un nouveau corps d'armée et des renforts d'artillerie, encore très mesurés. Toutes les pièces doivent d'ailleurs être reculées le

24 février, en raison de l'avance ennemie et des bombardements continuels. L'infanterie est seule à tenir le terrain. Quand le village de Samogneux est pris, le feu se rapproche de Douaumont. Les ordres de Chrétien à Bapst sont encore de reprendre la position « coûte que coûte ». Nouvel échec.

Douaumont entre alors dans la ligne de bataille : les Allemands ont pris le bois le Chaume et le bois des Caurrières. Les fantassins du 243e tentent de s'échapper vers Douaumont, pour éviter d'être encerclés. Sur le terrain, les unités décimées se regroupent dans le désordre : zouaves et tirailleurs se mêlent aux lignards de plusieurs régiments qui ont perdu toute cohésion.

Les compagnies se reconstituent comme elles peuvent, sans tenir compte des ordres du général Rogerie, chargé de défendre Louvemont, ou de Boulangé. Un bataillon de Saint-Omer (208e d'infanterie) se déploie ainsi sur une croupe au nord du fort de Douaumont, le 24 février. C'est la seule troupe française encore capable de résister au nord de la position. La deuxième ligne est presque entièrement aux mains de l'ennemi. Le bataillon du 208e ne pénètre pas dans le fort, ne s'y abrite pas, ne prend aucun contact avec l'intérieur.

Langle de Cary, devant l'avance allemande jusqu'à dix kilomètres de Verdun, envisage alors le repli des unités défendant la plaine de la Wöevre à l'est du champ de bataille dans l'après-midi du 24. Il s'agit de replier le matériel d'abord, les troupes ensuite et de les faire passer sur la rive gauche de la Meuse. Ainsi, plus de renforts pour la rive droite, dont l'évacuation est envisagée et aussitôt programmée avec minutie par les services d'état-major de Langle.

Joffre réagit immédiatement : le nord du front doit être tenu à tout prix, sur la rive droite. « Employez-y tout le 20e corps sans hésiter », dit-il au général de Langle de Cary. Celui-ci doit donc rapporter son ordre d'évacuation, et Herr s'y plier. Joffre décide à 8 heures, le 25 février, d'engager la deuxième armée confiée à Pétain, avec de puissants renforts d'artillerie lourde enfin programmés, dans la défense de Verdun, où se rend Castelnau pour prendre personnellement les choses en main. La bataille change alors d'ordre de grandeur. L'état-major a enfin compris que l'essentiel des forces allemandes entrait en ligne sur le champ de bataille de la Meuse, avec ordre de l'emporter au plus tôt sans souci des moyens.

Aucune disposition n'est alors prise pour articuler la défense du nord autour du fort de Douaumont, bien au contraire. Le détachement du général Deligny, avec la 153e division, se porte vers le nord dans la nuit enneigée. Les ordres donnés au colonel du 418e régiment, embusqué dans un ravin proche, sont d'« éviter de pousser des éléments à proximité du fort de Douaumont, fréquemment bombardé par l'artillerie lourde ». Il ne faut pas tenir le fort, mais l'éviter.

Le 95e régiment d'infanterie, recruté à Bourges, reçoit l'ordre de s'accrocher au village de Douaumont. L'absence de coordination entre les généraux Boulangé, Deligny et de Bonneval provoque la confusion sur le terrain. Les troupes s'enchevêtrent et les officiers s'indignent de ne pouvoir trouver leurs emplacements de combat. Les unités du général Deligny entourent le fort de Douaumont et tâchent de s'enterrer sur les croupes, à l'ouest et à l'est. Cette division compte pour appui d'artillerie moins d'une trentaine de canons de 75 et trois batteries lourdes de 155, plus éloignées. Comment pourrait-elle résister ?

Il faut des coupables. Chrétien est limogé, remplacé par Balfourier. « Le secteur Chrétien, télégraphie Castelnau à Joffre est passé aux ordres de Balfourier, avec ses deux divisions. Le général Chrétien n'aura plus de secteur du front. Le général de Castelnau augure bien de cette mesure. »

Le général de Bonneval est également destitué. On l'accuse d'avoir fait replier ses troupes de la 37e division sans raison, sur simple présomption d'un mouvement de l'ennemi qui n'a pas eu lieu.

Limogé, le général Bapst. Il a ordonné, lui aussi la retraite de sa division. Aussitôt informé de ce recul, Joffre télégraphie : « Tout chef qui dans les circonstances actuelles donnera un ordre de retraite sera traduit devant un conseil de guerre. » Et, le 26 février : « Les comptes rendus de ces derniers jours font ressortir que deux généraux de la RFV ont donné un ordre de retraite aux troupes placées sous leurs ordres : général Bapst, le 22 février à Brabant ; général Bonneval le 25 février à la Côte du Poivre. Faites étudier ces faits, et s'il y a présomption de leur exactitude, déférez sur-le-champ ces officiers généraux à un conseil de guerre, conformément aux lois militaires. Aucune mesure n'est plus urgente. »

Pourquoi Joffre demande-t-il des têtes ? Parce que le milieu politique est en émoi. Paul Doumer vient de dire au Sénat que les généraux étaient des traîtres ou des incapables. Le 10 mars, Poincaré apprend que Bapst a été relevé de son commandement. L'enquête se poursuit sur Bonneval « qui sera peut-être, dit-il, traduit en conseil de guerre. Il le demande d'ailleurs, lui-même ». Personne ne peut faire avouer à Joffre ou à Castelnau qu'on a donné l'ordre d'évacuer la rive droite de la Meuse. Ils couvrent encore Langle de Cary.

Ce sont les inférieurs qui trinquent. Au demeurant le général de Bonneval sera défendu par les rapporteurs, qui s'appuient sur les comptes rendus de la journée : « Le mouvement se serait produit, dit un message téléphoné du 25 février, dans les conditions suivantes : très éprouvé toute la journée et ayant été attaqué à deux reprises, après une troisième attaque en fin de journée et menacé d'être tournée sur sa droite, le général de Bonneval a donné l'ordre de repli. » Pour soulager son unité très accablée.

Il n'avait aucune inquiétude sur les conséquences de ce mouvement : « Il savait qu'à ce moment une brigade de la 39e devait venir relever la 37e. » Pourquoi lui faire un procès ? La destitution suffisait. On ne fusillait pas les généraux. Pourtant, sur le même champ de bataille, deux lieutenants, Herduin et Milan dont le régiment (le 347e) était réduit à 350 hommes seraient fusillés en juin pour avoir donné un ordre de repli tactique. Deux poids, deux mesures.

Balfourier, qui prenait la succession du général Chrétien, est bien décidé à ne pas reculer d'un pouce, mais il ne se soucie nullement du fort de Douaumont pour étayer sa défense. Il s'accroche en revanche férocement au village où plusieurs régiments ont été déjà détruits. Le général Deligny, le 25 février à 16 h 30, téléphone à Balfourier : « Douaumont serait menacé ou peut-être pris ? » Il prescrit au 418e régiment de s'installer sur la crête du fort et de s'y retrancher. « N'oubliez-pas, dit Balfourier, que la ligne des forts doit être tenue envers et contre tout. » Ce sont les ordres du général de Castelnau.

Les fantassins du 418e ne grimpent pas sur les pentes enneigées du fort, mais plus à l'ouest. L'ouvrage vient de tomber entre les mains des Allemands. Ses seuls occupants étaient les artilleurs qui servaient la tourelle, et qui ne tiraient plus, comme s'il n'y avait autour d'eux aucun combat susceptible de les concerner.

Balfourier ignore que le fort est tombé aux mains de l'ennemi quand il reçoit, vers 19 heures, un message téléphoné de Deligny l'informant que les « artilleurs lourds qui occupaient le fort de Douaumont ont évacué ce fort en disant qu'ils avaient fait sauter la tourelle ». Pas un mot des Allemands. Les Français ne se sont pas rendus, ils ont évacué les lieux. Balfourier contacte aussitôt le général Herr dont il dépend encore, à 20 heures, le 25 février, alors que la nuit est tombée depuis longtemps sur Verdun. Il lui dit que Douaumont tient, sans préciser s'il s'agit du fort ou du village.

Herr ne reste pas longtemps responsable de la place. Castelnau s'est rendu à son quartier général de Dugny pour l'informer que Pétain, général commandant la 2e armée, était également chargé du camp retranché et que Herr devait se mettre à sa disposition. Il n'était pas limogé, mais coiffé. Pétain prendrait son commandement le 26 février à 0 heure.

C'est à 8 heures, le 26 février, que le commandement est enfin informé de la prise de Douaumont par le général commandant la 306e brigade dont dépend le 418e régiment. La nouvelle suit la filière hiérarchique. Les ordres pleuvent : il s'agit de reprendre le fort.

On s'aperçoit enfin de sa valeur symbolique, exploitée par les Allemands dans leur presse, et qui a touché le milieu politique français. Reprendre Douaumont, que l'on n'avait nullement et à aucun moment songé à défendre, devient un objectif prioritaire.

Le grand état-major bouscule les généraux. Ils doivent attaquer sur-le-champ. Les soldats exténués repartent à l'assaut, ceux du 418e doivent chasser les Allemands du fort qu'ils n'avaient pas reçu l'ordre de défendre, encore moins d'occuper. Un bataillon de tirailleurs reçoit la même mission. Bientôt Deligny touche en renfort une brigade entière du 20e corps pour reprendre, demande Balfourier, le « fort de Douaumont et le plateau ». Castelnau téléphone à Pétain pour exiger que la 2e armée s'empare « à tout prix du fort de Douaumont avant que l'ennemi n'ait eu le temps de s'y installer ».

On encercle le fort, et Joffre fait aussitôt tenir la nouvelle à Poincaré qui s'en réjouit. Comme si de cette action dépendait le sort de la bataille de Verdun. Pénelon, son attaché militaire, lui a dit que « le bombardement ne permettrait pas aux Allemands d'y rester, que c'était là un incident sans importance, et que nos troupes tenaient solidement ». Illusion ! Au soir du 26 février, Poincaré est heureux d'apprendre que Douaumont est repris. Erreur ! confusion entre le fort et le village !

Trois heures plus tard, Pénelon revient à l'Élysée. Le fort est cerné par le 20e corps. A la Chambre, dit le président « l'émotion était indicible. Il a fallu que Briand [le président du Conseil] allât la calmer ». Le communiqué de l'état-major ne dit rien, ce jour-là, du fort de Douamont. Le dimanche 27 février, le président note « qu'on ne sait toujours rien au sujet du fort de Douaumont ».

Pourquoi ces cachotteries ? Parce que Joffre espère bien le reprendre, que le 20e corps s'en occupe activement, poussant les soldats à la mort vers le vieil éléphant gris. Les Allemands s'y étaient renforcés, des cartouches, des munitions leur étaient arrivés dans la nuit. Ils utilisaient l'observatoire pour donner des indications à leur artillerie sur la montée en ligne des unités du 20e corps.

Il y eut plusieurs attaques sans succès. Les assaillants se heurtaient aux barbelés posés par les Français. Le fort était bien encerclé, mais imprenable. Le général Deligny avait monté une attaque de nuit avec le bataillon Delerue, du 9e régiment de zouaves. Il s'était heurté à des forces allemandes de l'extérieur, qui l'empêchaient d'approcher. Balfourier engageait une brigade, une division (la 153e) : en vain !

Déjà Pétain, de son quartier général de Souilly, donnait des ordres pour organiser une position en retrait. Douaumont était provisoirement abandonné. Deux grandes séries d'attaques très coûteuses seraient nécessaires pour le reprendre, en mai et en octobre.

L'affaire de Douaumont permettait au milieu politique de réaffirmer son pouvoir, et d'accabler l'état-major. Déjà, le 21 février 1916, Briand disait à Poincaré qu'il jugeait utile de remplacer le général Dubois par Maud'huy, Villaret par Gérard et de limoger d'Urbal, ce qui fut fait. Ainsi le gouvernement intervenait directement dans les nominations de généraux, même au niveau des divisions ou des corps d'armée. Ces éconduits, comme Maud'huy, faisaient le siège du pouvoir pour retrouver des commandements et Poincaré ne leur fermait pas sa porte. C'est dire à quel point Joffre était déjà tenu en suspicion.

Après Douaumont, le moindre parlementaire voulait tout contrôler. Le gouvernement devenait bavard. Briand disait le 4 mars à Poincaré qu'il voulait muter immédiatement Langle de Cary, inférieur à sa tâche, pour le remplacer à la tête du groupe d'armées du Centre par Pétain, qui venait de prendre l'armée de Verdun ! Avait-il déjà un candidat pour remplacer Pétain, jugé trop timoré ?

A la fin de mars, les mutations pleuvent. Freycinet, illustre vieillard toujours en activité, demande au Conseil de défense nationale du 25 mars, où Joffre est présent ainsi que le nouveau ministre de la Guerre, le général Roques, s'il est exact que le général Herr avait en janvier fait une demande de renforcement de matériel et d'unités, et que le général Dubail n'avait pas répondu. Il somme Joffre de lui dire si la réclamation de Herr a été transmise au GQG. Joffre répond qu'il ne le croit pas et qu'il se renseignera.

Les jours de Dubail sont comptés. On s'aperçoit qu'il est atteint par la limite d'âge, on lui retire le commandement du groupe d'armées de l'Est, pour le donner à Franchet d'Esperey. Pour ce général, c'est un début de disgrâce : il n'est plus dans les secteurs chauds du front. Selon le vœu de Briand et de Roques, le général Gérard prend la tête de la 5e armée (de Franchet d'Esperey) et Mazel succède à Roques à la première, avant de la céder à Gérard pour commander la 5e. Fayolle, estimé par Pétain, devient le chef de la 6e armée qu'il commandait déjà en fait [1] et qui est destinée à l'offensive que prépare Joffre en Picardie. On a promis un simple corps d'armée à Maud'huy, qui accepte d'avance cette rétrogradation.

Quelques jours plus tard, nouvelle réorganisation où la main du politique se fait sentir : Dubail devient gouverneur militaire de Paris : la fin définitive d'une carrière. Il fait visite à Poincaré sans montrer la moindre amertume. Le général d'Urbal, selon le vœu de Briand, est limogé, nommé inspecteur général de la cavalerie. Micheler, le protégé de Foch et du président du Sénat Dubost, prend en main la 10e armée, destinée à l'offensive de Picardie. Ces nominations, ou ces limogeages restent toutefois conformes à l'opinion de Joffre qui apprécie Micheler et déteste les cavaliers.

Le groupe d'armées du Centre est supprimé : il est rattaché au QG et Pétain est chargé d'en utiliser l'état-major et les moyens. Il est ainsi tout-puissant sur l'ensemble de la zone des armées, et pas seulement à Verdun. Il peut commander, par exemple, à la 3e armée voisine du général Humbert, ou à la 4e. Fait significatif : le général Gérard fait visite au président Poincaré pour le remercier de sa nomination. Les généraux, désormais, font antichambre. Le pouvoir les tient en main.

Le gouvernement se défie déjà de Pétain. Il a repoussé toutes les attaques allemandes, mais on lui reproche de ne pas avoir attaqué lui-même. Au Conseil des ministres du 4 avril, le général Roques, de retour de Souilly, affirme avoir « engagé le général Pétain à ne pas se tenir sur une défensive trop

1. Après le limogeage du général Dubois que Joffre avait concédé à Briand.

passive, et à réagir davantage contre les attaques ennemies ».

Le ministre le défend pourtant en avril, quand il a dû reculer devant une puissante offensive allemande. C'est Freycinet qui l'accable. « Le général Pétain, dit-il, ne réagit pas assez. » Joffre se dit confiant dans la tactique de Pétain. Il répond à toutes ses demandes, y compris à la destitution de généraux que Pétain critique : par exemple, il limoge le général Ferry, coupable d'avoir « très mal commandé la 11e division du 20e corps ». Joffre ne souhaite nullement une offensive sur Verdun, et se réserve pour la Somme.

Il accepte même de réarmer les forts, à la demande de Pétain. « Le mystérieux abandon de Douaumont, commente Poincaré, amène maintenant une réaction peut-être aussi excessive. » Comment ne pas voir dans cette note une condamnation du système Joffre d'abandon des forts ? En réalité, la campagne contre Joffre a commencé. Dès le 6 mars, André Tardieu, chroniqueur diplomatique du *Temps*, protégé de Clemenceau, accepté par Joffre comme agent de liaison, avoue à Poincaré qu'il fait campagne pour le remplacement du généralissime. « Ils ont commis tant de fautes ! » dit-il en parlant des généraux et des officiers de l'état-major. Il prétend que Castelnau, et non Joffre, a rétabli la situation à Verdun. La campagne contre Joffre, dit Tardieu, vient de Gallieni, encore ministre de la Guerre en mars, et non de Clemenceau.

En fait celui-ci se déchaîne contre les responsabilités de Joffre, qui a laissé le front de Verdun sans artillerie lourde. Son journal, *L'Homme enchaîné*, est sans cesse censuré et même suspendu. Briand se plaint hypocritement des politiques qui veulent se « constituer une clientèle de généraux ». N'est-il pas le premier à pêcher ?

Il se donne l'élégance de défendre Joffre, à qui il vient d'imposer les visites de délégués de la commission de l'armée jusque dans les états-majors de Verdun. En fait, il suggère à Poincaré, comme simple hypothèse, mais dès le 9 mars, de nommer Joffre au ministère de la Guerre et de le remplacer par Castelnau. La campagne fait rage dans la grande presse qui accuse Joffre d'avoir voulu abandonner Verdun, en transférant les unités sur la rive gauche. Pourtant quand le général Roques remplace Gallieni au ministère de la Guerre, il est désigné dans le milieu politique parisien comme une créature de Joffre. Briand ne cherche pas encore l'incident.

Au début d'avril, la presse d'opposition ne désarme pas, animée par les sénateurs Humbert, Doumer et Clemenceau. Le vent tourne et les Mémoires de Poincaré le confirment. Le 19 avril, il est en visite à Verdun où il rencontre le général Nivelle, chargé du 3e corps d'armée en position devant les forts. Les paroles de Nivelle sont réconfortantes ; il prépare des offensives « pour reprendre, si possible, les forts de Vaux et de Douaumont ». Le brave général ! « Il parle clairement, sobrement, paraît froid et résolu. De tous c'est un de ceux qui nous font, à Roques et à moi, la meilleure impression. » Le successeur de Joffre est en piste. Mais avant de réussir cet exploit en décembre 1916, il faudra l'échec de l'offensive de Picardie, qui provoque le double limogeage de Joffre et de Foch. Dans l'immédiat, c'est Pétain qui fait les frais du changement annoncé de politique.

On lui retire l'armée de Verdun, il quitte Souilly pour s'installer à Bar-le-Duc. Certes, il garde le commandement reconstitué des armées du Centre, mais il est à l'écart. La vraie raison de sa disgrâce est expliquée par Poincaré [1] : Pétain a dit à son ministre, le général Roques, qu'il « ne croit pas qu'une offensive française soit possible cette année sur un autre point du front. Il voudrait que les Anglais seuls prissent l'offensive devant eux... Il trouve que Verdun représente l'effort français dans l'ensemble des opérations de cette année. Cette thèse est opposée à celle de Joffre et de Castelnau. Il va falloir faire un choix. »

Le choix est fait, Pétain remercié. Il n'est pas dupe. Rencontrant Paul Painlevé qui sera plus tard son plus ardent supporter, il lui dit en mai : « Vous voyez en moi un général qui vient d'être relevé de son commandement. » La chute de Douaumont, malgré le courage des poilus, avait transformé Verdun en défaite. Seule la reprise du fort pourrait apparaître comme une victoire. Le vainqueur de Verdun ne serait pourtant pas Pétain, ni Joffre, vaincu sur la Somme, mais Nivelle, le nouveau commandant de la 2e armée.

Ainsi le premier cercle des généraux poursuivait-il sa carrière dans la guerre, sans être à l'abri des limogeages qui frappaient les moindres, mais pour eux la disgrâce apparaissait déjà, au temps de Briand, comme une promotion : Dubail gouverneur de Paris, Joffre maréchal, Pétain commandant du groupe des armées du Centre. Seul Foch serait mal traité : chargé d'un plan pour aider la Suisse à repousser une éventuelle attaque allemande. Un purgatoire.

Les seules vraies victimes du commandement à

1. Raymond Poincaré, *Au service de la France*, t. 8, *Verdun 1916*, Paris, Payot, 1931, p. 216.

Verdun, outre les 500 000 poilus frappés dans leur chair et qui avaient tenu en main le front, étaient les soldats découragés, fusillés comme ceux du 111e régiment d'infanterie. Ceux-là ne pourraient pas témoigner en conseil de guerre de l'incapacité de ceux de leurs chefs qui étaient pourtant responsables de l'incroyable gâchis de Verdun.

CHAPITRE IV

Le dossier Nivelle

Robert Nivelle est le seul général en chef jugé, non par un conseil de guerre, mais par une commission d'enquête de généraux pour cause d'échec militaire. Il est en effet responsable du massacre de l'affaire du Chemin des Dames, en avril 1917.

Pourquoi une nouvelle offensive est-elle décidée ? Parce que le milieu politique l'exige et que Joffre l'a déjà programmée en la faisant accepter par les Alliés à la fin de 1916. Elle dormait dans les cartons du généralissime. Briand a désigné Nivelle pour la réveiller, l'ordonnancer, en liaison avec l'allié britannique. L'ordre de route du général Nivelle est simple : après son succès à Verdun en octobre 1916, on attend de lui la victoire par la percée du front allemand.

Son image de général en chef est très différente de celle de Joffre. Quand l'ancien généralissime a multiplié les pertes au cours des cent jours d'offensives meurtrières de 1915, il était le vainqueur de la Marne, qu'aucune instance politique n'était en mesure de contrarier. Il n'était pas question de désigner pour le juger, après ses quatre échecs, une quelconque commission d'enquête. Qui aurait osé y siéger ? On avait seulement limogé Joffre, discrètement, avec égards, comme en Allemagne Moltke, puis Falkenhayn.

Nivelle, en revanche, devait être jugé, bien qu'il eût connu un seul échec, et non quatre comme Joffre. L'opinion politique l'exigeait. Elle avait fait Nivelle, elle l'avait encensé au moment de sa gloire. Elle pouvait le défaire et lui imputer son échec, même si le gouvernement Briand, qui l'avait nommé, était par terre. Il avait abusé de la confiance des hommes de pouvoir. Il devait expier.

D'autant que la défaite du Chemin des Dames s'était accompagnée d'une vague de mutineries qui avait mis en péril l'armée française, et rendue problématique une paix de victoire. Nivelle était ainsi le destructeur de l'idéologie de guerre. Il avait fait la preuve ultime, après Joffre, qu'il n'y avait pas de victoire possible contre une puissance supérieure, industriellement, démographiquement. Même avec l'aide des Anglais dont on attendait miracle, et qui venaient d'être écrasés à la bataille de la Somme, l'Europe de l'Ouest, avec Nivelle, était prête à jeter le gant. Elle ne pouvait être sauvée que par l'arrivée des Américains. La France n'en pouvait plus. En condamnant Nivelle, elle renonçait à imposer à l'ennemie héréditaire une paix de victoire.

Le procès politique du général Nivelle eut-il lieu ? Nullement. Après la répression des mutineries et le retour au calme dans les tranchées, Pétain, le restaurateur de l'armée, devenait le vainqueur de Verdun. Nivelle était renié, oublié, vaincu. Les jusqu'au-boutistes de la guerre reprendraient bientôt le pouvoir, acclamant Clemenceau. Il ne pouvait être question de juger devant une cour martiale un général en chef vaincu. Il devait disparaître sans éclat, et sans péril pour les politiques qui l'avaient nommé, secondé, soutenu, poussé. Il aurait pu répliquer, présenter sa défense, montrer qu'on l'avait obligé à prolonger une opération désastreuse. Il avait, en tout, fait le jeu du pouvoir. En le laissant condamner, le pouvoir se mettait lui-même en question. En avait-il les moyens ?

Le parti de la sagesse eût été de désigner une commission d'enquête présidée par le placide général Brugère. Il fallait satisfaire la vindicte des généraux qui, dès l'origine, s'étaient opposés à l'opération du Chemin des Dames, et au premier d'entre eux, Pétain. Nivelle devait être pesé au trébuchet de la capacité militaire, en dehors de toute considération politique. Il n'était pas coupable d'un crime. On examinerait seulement ses fautes.

A ce jeu, il n'était pas sans arguments. Il pouvait appeler à lui tous les éléments du hasard, les impondérables de la guerre, les déficiences de l'administration civile et militaire, les erreurs des subordonnés, les défaillances de l'allié britannique. Plaider, démontrer, disséquer les opérations entre experts, avec ses pairs. Il n'était pas question de châtier un général coupable d'avoir entraîné l'armée à sa perte, mais d'étudier les conditions dans lesquelles la mirifique opération avait échoué.

La plaidoirie de Nivelle pouvait l'absoudre, elle avait l'immense mérite, du point de vue du nouveau général en chef Pétain, de condamner sans appel la doctrine de l'offensive technicienne, celle de la « nouvelle armée » qui prétendait l'emporter en changeant de tactique, alors que les innovations provenaient en ligne directe de la méthode de guerre des Allemands, et qu'on avait le plus grand mal à inculquer aux responsables des unités françaises, petits et grands, la synchronisation des armes dans la bataille. Que Nivelle eût échoué démontrait amplement qu'aucune offensive n'était possible dans l'état de l'armée, et qu'il fallait attendre. Cette évidence risquait de calmer l'agitation des politiques pour longtemps. Elle faisait de Pétain *cunctator* l'arbitre suprême de la situation.

« Nous romprons le front allemand, indiquait Nivelle le 17 janvier 1917, à condition de ne pas attaquer au point le plus fort et de faire l'opération par surprise et attaque brusquée en vingt-quatre ou quarante-huit heures. » Il promettait, si l'affaire n'était pas enlevée dans ce délai, d'arrêter les frais.

Il était en effet difficile, après les 320 000 morts de l'année 1915 et les 270 000 de Verdun, de demander à l'armée française un sacrifice d'une grande ampleur. L'hécatombe était exclue. Nivelle n'était pas un tendre. Il l'avait montré à Verdun en réprimant les défaillances avec une grande sévérité. Son adjoint Mangin était connu pour son ardeur offensive. Il ne pardonnait pas davantage les faiblesses. L'équipe Nivelle-Mangin passait pour rechercher la victoire dans le sacrifice. Mais elle s'était aussi distinguée en offrant au politique l'image rassurante d'une nouvelle tactique de guerre, moderne, économe du sang des soldats grâce à l'organisation du combat et aux ressources nouvelles en armements. Le polytechnicien Nivelle était aussi un technicien. Il croyait à la radio, aux fusils-mitrailleurs et aux Caterpillars. Il disposerait, au jour J, de plus de mille pièces lourdes, de quoi écraser les troupes de Ludendorff qui n'alignait sur le front que 152 divisions contre 180 aux Alliés et 110 aux seuls Français.

Il passe pour un gagneur, le général Nivelle. Il a repris Douaumont et Vaux. Dans l'affaire du Chemin des Dames, il compte sur Mangin, Mazel et Micheler. Des chefs nouveaux, qui profitent de la disgrâce des anciens pour parvenir au premier rang : Joffre est maréchal, Foch au placard. L'heure du renouvellement est venue.

Ils sont à la tête d'une armée dont le commandement a été réorganisé. Pétain est cantonné à l'est de Reims. On lui demande un appoint, sans plus. Nivelle revendique la responsabilité d'un plan qu'il a hérité de Joffre, mais transformé à sa convenance, pour attaquer en même temps que les Britanniques, mais en prenant pour l'armée française l'essentiel de l'effort.

Il était vital pour Briand, quand il a choisi Nivelle, de désigner un général en chef qui pût s'entendre avec le général anglais Haig. L'épouse de Nivelle, Theodora Louise Sparrow était anglaise et fille d'un officier de la caste militaire. Nivelle lui-même, né à Tulle en 1856, du même âge que Pétain, était le fils d'un capitaine. Un ménage issu de petits cadres militaires, quoi de plus rassurant pour sir Douglas Haig qui ne devait son maintien en poste, après la saignée de la Somme, qu'au soutien de son roi ?

L'ancien mineur Lloyd George, le nouveau Premier ministre britannique, aussi gallois que Briand, ce fils de cabaretier de Nantes, était breton, ne pouvait manquer d'ouvrir une oreille attentive aux propositions de Nivelle, qui parlait sa langue. Lloyd George voulait gagner la guerre rapidement, au moindre coût, et non pas enliser l'armée nationale dans la boue de France. Le discours moderne et technicien de Nivelle l'avait séduit. Il l'avait soutenu contre Haig, quand le général français avait à plusieurs reprises exposé son plan. On faisait confiance à Nivelle, mais il ne devait pas échouer. L'enjeu politique, à Londres comme à Paris, était trop fort, après les pertes considérables de l'année 1916, des soldats Britanniques sur la Somme et des Français à Verdun.

Le général français passait pour un combattant courageux, qui était monté en grade par sa bravoure et sa compétence. Il commandait en 1914 un simple régiment d'artillerie. Il avait commencé sa carrière en Tunisie et en Chine. Comme Joffre et Mangin, il connaissait les troupes coloniales. Il avait été cité à l'ordre de l'armée par Pau en Alsace quand il avait capturé vingt-quatre canons allemands. Il avait arrêté au canon une colonne de von Klück pendant la retraite de 1914. En octobre, il était brigadier, sur recommandation du général de corps d'armée Vautier. A la Marne, à Soissons en 1915, il avait eu l'audace d'approcher ses batteries au plus près de la ligne, prenant ainsi des risques immenses. Nouvelle citation à l'ordre de l'armée et nomination immédiate à la tête de la 61e division. Il enlevait « par une attaque foudroyante, », une position difficile sur le champ de bataille de la Somme en 1915, ce qui le signalait à l'attention de Joffre.

En décembre de la même année, il est général de corps d'armée. Joffre désigne pour commander la 2e armée de Verdun, à la place de Pétain, dont on répète à Paris qu'il lui manque la rage de vaincre, un officier qui pratique avec bonheur la synchronisation des armes à l'allemande. Il se fait remarquer par son « esprit nouveau » et par son culte renouvelé de l'offensive technicienne, économe des pertes humaines. Comment ne pas faire confiance à ce général dont le portrait-robot mélange les traits caractéristiques de Foch et ceux de Pétain ?

On oublie ses excès, la période d'incertitude où les offensives combinées avec Mangin échouent sur le champ de bataille de Verdun. On se souvient de sa résistance en juin, de son énergie dans la répression des défaillances, et surtout de sa victoire finale en octobre, qui permettait aux politiques, par la reprise de Douaumont, de justifier aux yeux de l'opinion les sacrifices consentis, et dus pour une grande part à l'incapacité et au désordre.

Nivelle disposait au départ d'un pouvoir amoindri, parce que sa nomination avait été le résultat d'une opération politique d'élimination de Joffre où les caciques, Clemenceau, Antonin Dubost, Paul Doumer, mais surtout Briand avaient réussi à rallier Poincaré. La Chambre avait été soulagée d'apprendre qu'un autre général commanderait les armées.

Symboliquement, Nivelle, une fois nommé général en chef des armées du Nord-Est, ne s'installait pas à Chantilly, mais à Beauvais, puis à Compiègne. Pour satisfaire l'opinion et les généraux de l'armée, il abandonnait le saint des saints de Joffre, qui y menait sa guerre seul contre tous. Nivelle n'ignorait pas qu'il avait été l'oiseau rare permettant au gouvernement de mettre la vieille gloire de la Marne au placard. Il avait, en plus, accepté, ce que Pétain avait refusé, d'être en sous-ordre de Joffre, le temps que Briand procédât à son élimination définitive.

Une marge de manœuvre serrée : tenu sous surveillance politique, il avait admis que les lettres de commandement nommant ses propres officiers fussent signées par le ministre de la Guerre Lyautey sur sa proposition, pour les armées et corps d'armée. Les difficultés avec le gouvernement commençaient. Hors du pouvoir, les députés hostiles à Briand prenaient aussi position contre les projets de Nivelle qui voyait ainsi son offensive politisée avant même d'avoir été déclenchée. André Tardieu, Clemenceau, Maginot, Paul Painlevé en attaquaient le principe au nom de la protection des poilus. Lyautey, très sceptique sur les projets du général en chef, avait consulté dans son dos Pétain, dont il avait recueilli les critiques : qu'on ménage les soldats ! Qu'on ne les lance pas dans une nouvelle aventure !

En mars 1917, le gouvernement d'Aristide Briand était entraîné dans sa chute par la démission du général Lyautey, ministre de la Guerre, qui ne voulait pas, selon Wladimir d'Ormesson, cautionner l'offensive du Chemin des Dames. Le successeur, Alexandre Ribot, ne pouvait décommander une opération qui remuait le front depuis janvier et accumulait un million de soldats sur la ligne de l'Aisne.

Mais son ministre de la Guerre, le radical-socialiste Paul Painlevé, aurait sur Nivelle l'œil de Pétain. Laisser à Mangin le commandement d'une masse de trois cent soixante mille hommes pour l'offensive lui paraissait une folie. Nivelle était plus que jamais sous surveillance : Ribot avait créé un comité de guerre restreint qui se réunissait autour de lui tous les matins, avec seulement Painlevé et le ministre des Armements, Albert Thomas.

Painlevé ne pouvait pas se dérober au devoir et décommander l'offensive, parce que son principe avait été décidé en commun à Chantilly en novembre 1916 par les représentants des armées alliés. Il était convenu qu'on attaquerait pour ne pas être pris de court par une offensive allemande. Ce retour du balancier semblait d'autant plus probable en mars 1917 que la révolution russe de février aurait rendu problématique l'action de l'ancienne armée du tsar. Painlevé aurait pris un risque politique certain en interdisant l'opération. Les généraux en place s'étaient tous déclarés favorables au projet, sauf Pétain.

Que Paul Painlevé eût pris la peine de les consulter séparément montrait assez la subordination du haut commandement au gouvernement, qui semblait tout pouvoir se permettre, depuis que Joffre n'était plus à Chantilly. Il était clair que le ministre cherchait un prétexte pour ajourner l'offensive. Il avait chargé le colonel Helbronner de trousser un rapport sur la situation nouvelle du front créée par le recul stratégique des Allemands sur la ligne Hindenburg en mars 1917 (opération Alberich) et sur l'élimination de l'armée russe, incapable d'aider à une offensive d'ensemble des Alliés prévue à la rencontre de Chantilly en 1916 : des faits nouveaux qui devaient permettre de reconsidérer l'opération.

Les généraux étaient convoqués au conseil de guerre à Compiègne, le 6 avril 1917, dans le wagon de Poincaré. On déciderait en commun s'il y avait lieu d'attaquer. Méthode entièrement nouvelle, impensable au temps de Joffre, qui faisait dépendre une opération militaire d'une rencontre organisée par le ministre. Il ne s'immisçait pas dans la conduite de la guerre, il prétendait désormais s'associer aux décisions.

Poincaré, Ribot, Thomas, l'amiral Lacaze étaient présents. Nivelle était entouré de Micheler, de Pétain, commandant du groupe des armées du Centre, de Franchet d'Esperey, du Nord, et de Curières de Castelnau, de l'Est. L'état-major français au grand complet, réuni pour prendre une décision collective : une première dans l'histoire de la guerre, si l'on songe que Joffre ne consultait pas même ses chefs d'armée avant une opération d'ensemble. Il leur faisait parvenir ses ordres, enregistrait leurs remarques, et prenait seul, avec ses conseillers proches, les décisions. La réunion de Compiègne, initiée par les politiques, était une manière d'imposer à l'état-major une conduite plus consensuelle, et d'empêcher les dissensions et les contestations.

Painlevé avait préparé la réunion en rencontrant séparément, selon sa méthode, Pétain et l'ancien ministre Messimy qui avait remis à Ribot une note angoissante résumant l'opinion défavorable des chefs de l'armée sur l'offensive. Poincaré, pour éclairer sa lanterne, s'était fait conduire au front. Il avait rencontré un Franchet d'Esperey bien décidé à attaquer, un Micheler [1] ne formulant pas d'objection, Mangin et Mazel confiants. Sa décision était en fait déjà prise au matin du 6 avril. « Un retard prolongé permettrait aux Allemands de prendre l'initiative. » Il désapprouvait en secret les « manœuvres » de Paul Painlevé.

Pourtant, dans le wagon, Nivelle doit plaider, et jeter sa démission dans la balance. Si l'on n'a pas confiance en lui, il n'y a plus qu'à remiser les canons lourds, les deux cents chars d'assaut, à renvoyer dans leurs secteurs les 850 000 hommes qui attendent déjà que l'on fixe le jour du départ dans les parallèles d'attaque.

Pétain avait présenté, après Micheler, les objections les plus sérieuses : la densité d'artillerie était moindre que sur la Somme, la manœuvre prévue de l'immixtion de la 10e armée entre la 6e et la 5e présentait des difficultés, le temps était incertain et les liaisons insuffisantes. Il affirmait que si la

1. Micheler en août 1914 commande le 5e corps d'armée d'Orléans à la 3e armée de Ruffey après avoir été chef d'état-major de Sarrail au 6e corps de Châlons-sur-Marne.

percée était possible, rien n'était sûr pour la troisième ligne et l'exploitation serait difficile, parce que les troupes avaient perdu l'habitude de marcher. Il rejoignait ainsi les vues de Poincaré qui était pour une percée sans poursuite, pour ne pas user les réserves.

Cette absurdité stratégique sautait aux yeux. Elle exprimait seulement le désir de Pétain et de Painlevé d'obtenir l'annulation de l'opération. A la menace de démission de Nivelle « tout le monde proteste, écrit Poincaré, tout le monde déclare que le gouvernement et l'armée ont confiance dans Nivelle ». Pas de vote ni de procès-verbal, unanimité. Le gouvernement venait de lier son sort à celui de l'affaire Nivelle. Mais le général n'aurait pas pu agir sans la confiance qu'il avait sollicitée sur le point précis de son plan d'offensive. Les lourdes paroles critiques de Pétain n'avaient pas besoin d'avoir été consignées sur un registre pour établir, dès le 6 avril, le constat d'un échec escompté, dont il serait le premier bénéficiaire.

Le Chemin des Dames était une position imprenable, éperon rocheux troué de cavernes qui barrait la route de France entre l'Ailette et l'Aisne, au sud de Laon, du Moulin de Laffaux au plateau de Craonne. De fortes pentes (de cent à deux cents mètres de dénivellation), des ravins, des bois, des *creutes* percées dans une roche friable, avec des débouchés de part et d'autre de l'éperon. Les Allemands pouvaient s'y fortifier sans attirer l'attention, et mettre leurs troupes d'assaut à l'abri des bombardements. Nivelle connaissait le terrain. Il comptait sur l'artillerie tractée, montée sur chenilles, et sur l'aviation pour venir à bout de la position par surprise, comme on prend une place forte.

Avant de faire ses preuves de stratège, Nivelle avait dû se faire l'avocat de sa stratégie. Ses généraux, Mangin [1] et Mazel avaient surveillé le terrain, étudié les défenses allemandes autant qu'ils le pouvaient, car elles étaient pour une grande partie souterraines. Les troupes d'élite de l'armée, les coloniaux, les unités d'élite du 20e corps, dont la division de fer de Nancy, étaient de nouveau de la fête. On comptait sur leur agressivité au combat pour l'emporter dès le premier jour.

Encore Nivelle avait-il besoin du concours britannique. Il avait été nommé en partie parce qu'on le savait capable de nouer des liens solides avec les Anglais. Il avait conquis Lloyd George, mais il devait travailler sur le terrain avec sir Douglas Haig, un général de la vieille école, intraitable et dur, fragilisé par son échec dans la Somme.

Nivelle aurait le plus grand mal à le pousser à l'action. Déjà, les 15 et 16 janvier à Londres, il n'avait dû qu'au soutien de Lloyd George d'obtenir le raccourcissement du front français, grâce à une participation plus forte de l'armée anglaise. Il pouvait ainsi dégager les effectifs de la 10e armée Micheler. Mais les Anglais n'avaient pas accepté de fixer une date pour l'offensive.

Haig traînait des pieds, chicanait sur les questions de transports et d'approvisionnements. A Calais, les 26 et 27 février, Nivelle avait obtenu des Anglais une convention le désignant comme le commandant suprême pendant la campagne. Haig,

1. Brigadier en 1914 dans la division de Mézières et le 2e corps du général Gérard (armée Lanrezac). Il commande les régiments de Laon et de Givet.

très contrarié par cette décision, avait offert sa démission au roi, qui l'avait refusée. Il avait dû accepter d'être subordonné au général français et envisager l'attaque prévue en direction de Cambrai sur la rivière Scarpe. Pour le gouvernement Ribot, cet accord créait des obligations. L'opération Chemin des Dames ne pouvait être interrompue unilatéralement, même si elle se révélait désastreuse. Haig, qui avait consenti des concessions jugées par lui insensées, serait en droit d'obtenir qu'elle continue. Nivelle avait payé au prix fort la coopération britannique.

D'autant que Haig, qui avait par tous les moyens tenté de retarder l'entreprise, avait honorablement rempli son contrat : avant l'attaque française du 16 avril, ses troupes avaient pris l'offensive sur la Scarpe le 9 avril, puis attaqué avec les deux armées Horne et Allenby sur la route Arras-Lens. Quatre divisions canadiennes s'étaient sacrifiées dans l'attaque de la butte de Vimy. Si la percée n'était pas réalisée, les Britanniques avaient gagné dix kilomètres de front, fixé sept divisions allemandes, attiré sur leur front huit unités nouvelles.

Il avait donné l'ordre, comme convenu, de poursuivre les assauts jusqu'au 14 avril. Si les Français avaient dû ajourner leur départ au 16 avril, la météorologie, les tempêtes de neige en étaient la cause. L'état-major de Haig avait tenu parfaitement ses engagements. Il avait mesuré toute l'efficacité des défenses allemandes, ni plus ni moins que son collègue français Humbert, dont la 3e armée s'était fait récemment étriller devant Saint-Quentin, sur la ligne Hindenburg. Les bataillons d'assaut avaient été fauchés par la mitraille des abris bétonnés résistants aux obus de 155.

Une leçon à méditer pour Nivelle et Mangin. Les

observations aériennes avaient été nulles, les transmissions à l'artillerie inexistantes. Humbert, ancien commandant de la division marocaine, réputé pour son « allant », avait dû décommander l'assaut que Nivelle qualifiait pudiquement « d'opération préliminaire ». Les pertes étaient lourdes. Les fantassins étaient morts à l'assaut, une fois de plus, faute de soutien d'artillerie, uniquement pour fixer devant eux des effectifs allemands, à la veille du grand départ sur le Chemin des Dames.

Haig avait beau jeu de laisser l'arme au pied sa 4e armée, qui devait partir en soutien d'Humbert, puisque les Français étaient immobilisés. Il se souvenait des propos tenus à Londres par Nivelle dans sa plaidoirie du 15 janvier qui avait enthousiasmé les membres du gouvernement britannique. Quand Lloyd George avait évoqué les incertitudes de la météorologie, Nivelle avait répliqué que le temps ne pourrait être plus mauvais qu'à Verdun en octobre. Il avait rassuré lord Crozon en affirmant que ses 155 courts étaient capables de percer le béton. L'expérience de la 3e armée prouvait qu'il n'en était rien. Enfin, Nivelle comptait sur l'observation aérienne. Les nuages bas et les mauvaises liaisons radio avaient empêché l'aviation d'informer les artilleurs. Ces indices auguraient mal des chances de Nivelle d'emporter le Chemin des Dames.

Il ne devait toucher à temps ni les chasseurs d'un nouveau modèle essentiels à la protection de l'observation aérienne, ni les tracteurs à Caterpillars capables d'escalader les pentes. Il avait néanmoins massé son artillerie lourde dans le secteur de l'offensive et comptait sur elle pour détruire les défenses enterrées de l'ennemi. Tous les atouts dont il prétendait disposer à Londres venaient de se révéler absents, ou décevants. Il prenait le risque de la catastrophe en attaquant sur la neige et sous la pluie glacée. Mais comment reculer, quand tout était prêt au départ ? Les dés étaient jetés. Il ne pouvait guère compter que sur la surprise.

C'est lui qui fut surpris, et non les Allemands. Nivelle avait recommandé le secret à ses généraux, mais pouvait-on cacher aux Allemands la concentration des dix-sept divisions d'infanterie de Mangin, dont huit en première ligne ? Les patrouilles nocturnes avec enlèvements de prisonniers pouvaient aisément les convaincre qu'ils avaient devant eux, avec les régiments coloniaux, les meilleurs troupes d'assaut de l'armée française.

Les chars lourds du général de cavalerie Mazel, les chasseurs alpins et les canons de montagne n'étaient pas plus faciles à dissimuler. Les travaux de construction des parallèles de départ, effectués de nuit, étaient néanmoins repérables au son, et de jour à l'observation aérienne, en dépit des précautions prises, notamment par le camouflage des batteries. L'aviation allemande, grâce à l'entrée en service de nouveaux moteurs, avait ravi le ciel aux Français jusque-là dominants et protégeait efficacement ses observateurs pendant toute la période de préparation. Les généraux demandaient en vain à Mangin une protection aérienne contre les *Drachen* qui observaient tranquillement le mouvement des armées.

Plusieurs captures avaient averti les Allemands de l'opération. Dès le début de mars, ils avaient appris en Champagne qu'une offensive se préparait sur l'Aisne. Le 31 mars, ils avaient capturé un sous-lieutenant porteur des plans de cartes, des signaux de réglage, des codes radio. Le 4 avril, près de

Berry-au-Bac, un sergent-major du 3e zouaves, fait prisonnier, révélait la présence des troupes coloniales. Son capitaine lui avait remis le plan d'engagement des unités. Les Allemands disposaient des schémas d'attaque du régiment. « tout ce que nous devons faire, commentait le général de Bazelaire, est alors connu de l'ennemi ». Le 7 avril, l'ennemi saisissait au nord de Reims le plan d'engagement d'un bataillon qui indiquait les positions du front au sud de l'Aisne et les objectifs au nord. Nivelle décida de ne pas revoir le plan d'attaque. Il était trop tard.

A plusieurs reprises des coups de main avaient permis aux Allemands de saisir des prisonniers des corps coloniaux. Avaient-ils parlé ? Une dépêche de l'agence Wolff, quelques jours après l'offensive, affirmait que Hindenburg avait reçu le plan d'offensive français. Intoxication ? Nivelle pouvait s'assurer que les effectifs allemands devant ses lignes s'accroissaient sans cesse, comme s'ils s'attendaient à l'assaut. Une note de la 6e armée du 6 avril affirmait que le nombre des batteries allemandes avait augmenté de 100 %. On repérait plus de cinq cents emplacements. Le 15 avril, on comptait sept divisions allemandes au lieu de quatre devant l'armée Mangin. Les avions à croix noire tournaient sans cesse dans le ciel, protégeant les *Drachen.* Devant l'armée Mazel [1], les avions étaient quatre fois plus nombreux. Il avait devant lui dix divisions au lieu de cinq, dont les Bavarois et les Prussiens, troupes d'élite.

Même renforcement en Champagne, devant les unités de la 4e armée d'Anthoine [2]. Nivelle ne pouvait donc que tirer les conclusions de ces observa-

1. Ancien général de division de cavalerie en août 1914.
2. Chef d'état-major du général de Castelnau à la mobilisation.

tions : l'ennemi n'était pas surpris. Le général français ne pouvait ignorer qu'il avait contre lui une aviation redoutable, apparemment maîtresse du ciel, une artillerie camouflée, des défenses enterrées et bétonnées.

A vrai dire, les observations et les réflexions de ses collaborateurs et de ses informateurs pouvaient laisser Nivelle perplexe : elles allaient dans les deux sens. Un rapport du 37e corps avertissait que l'infanterie allemande était abritée « dans des caves crayeuses éclairées à l'acétylène ». Pourtant Jeanpierre, chef d'état-major du 20e corps rassurait Nivelle : les communications de l'ennemi avec l'arrière étaient difficiles, ses positions solides, mais pas inexpugnables. Les deux premières positions pouvaient être enlevées grâce au feu de l'artillerie. Même réaction du général de Mitry [1], de l'armée Mangin. Le plateau doit être enlevé par une attaque bien minutée et dûment synchronisée. Les creutes du Chemin des Dames sont bien connues des Français. Elles seront nettoyées « par des fractions renforcées de fusils-mitrailleurs ».

Ce n'est pas l'avis du général Berdoulat, commandant le 1er corps colonial, qui a lancé une attaque préventive près du Moulin de Laffaux : « Notre insuccès, explique-t-il, doit être attribué en premier lieu à l'intervention de nombreuses mitrailleuses ennemies, qui, bien abritées pendant la préparation dans les caves voûtées du village ou les cavernes naturelles de la région, ont pu être sorties et mises en place au moment de l'alerte ». Le colonial redoute que l'artillerie ne puisse venir à bout de ces défenses souterraines. Mais un autre colo-

1. Ancien colonel de cuirassiers, brigadier à la 9e de cavalerie de Tours en 1914.

nial, Blondlat, du 2e corps [1] estime à l'inverse que les compagnies *Schilt* (de lance-flammes) viendront facilement à bout des réserves allemandes embusquées dans les creutes, et donc prisonnières.

Devant ces informations contradictoires, le général Nivelle consulte le 2e bureau sur les effectifs. Il apprend que la VIIe armée du général von Boehm qui couvre la ligne Soissons-Reims ne dispose que de quatorze divisions, contre les vingt unités d'assaut des 5e et 6e armées. Pas de chars chez Ludendorff, il ne comprend pas l'intérêt de cet armement vulnérable. Nivelle n'a rien à redouter sous ce rapport. Mais il manque de renseignements précis sur l'emplacement et la nature des batteries ennemies et sur le nombre de ses escadrilles. Il redoute la supériorité de l'aviation et de l'artillerie ennemies, mais il ne peut plus reculer. L'assaut ne peut être différé. Tout se jouera sur les surprises de détail. Pas de victoire garantie, comme il l'avait affirmé à Londres. Pas de surprise chez l'ennemi.

La préparation d'artillerie a donné des résultats décevants. Les avions ne pouvaient pas tenir l'air sous la tempête. « Plus de deux heures, c'était au-dessus des forces humaines », disait Gamelin. On ignorait les résultats du tir d'artillerie, dont Nivelle attendait le succès. L'atout essentiel de la réussite manquait à son jeu. Il ferait contre mauvaise fortune bon cœur.

Les prédictions les plus pessimistes devaient être dépassées lors de l'attaque du 16 avril, commandée

1. Le général Blondlat est à la tête des zouaves de la 1re brigade du Maroc dans la division de marche du général Humbert en août 1914.

malgré les incertitudes, parce qu'on ne pouvait plus la repousser. La 127e division d'Anselme, d'excellentes troupes de l'est, devait patauger avec ses régiments de Belfort et de Châlons-sur-Marne dans les réseaux de barbelés non détruits, les pièges à loups, les barres de mine enfouies, les fosses cachées. Le tir courbe de l'artillerie ennemie accablait les assaillants, observés en permanence par une aviation dominant le ciel. Impossible d'avancer de cent mètres en trois minutes derrière le feu roulant de l'artillerie, comme l'avait prescrit le général Mangin. Le terrain était trop difficile. Dès que le feu du canon prenait de l'avance sur la marche du fantassin, les mitrailleuses portatives allemandes sortaient de leurs abris et tiraient. Le 132e de Reims perdait ainsi cinq cents soldats en moins d'une heure de combat.

L'attaque du deuxième corps colonial enlevait l'éperon entre la ferme Heurtebise et la sucrerie de Troyon, mais recevait le feu arrière des mitrailleuses embusquées dans les creutes quand il dévalait la pente nord vers l'Ailette. Les cavernes n'étaient donc pas seulement un refuge pour fantassins pendant le bombardement d'artillerie, mais une voie de passage pour les unités d'assaut, du nord au sud et du sud au nord, dissimulant des équipes de mitrailleuses légères prêtes à entrer en action. Les Sénégalais du corps colonial, leurs officiers tués, s'étaient débandés. Le 20e corps d'armée du général Mazillier ne pouvait progresser et Mangin, en fin de journée, tenait à grand-peine la ligne de crête en ayant perdu beaucoup de monde au cours de l'assaut. On pouvait entendre au soir de cette journée tragique les sifflets angoissants des blessés qui appelaient à l'aide. On ne put tous les secourir. Ils geignirent toute la nuit.

Mazel, vers l'est, n'était pas plus heureux que Mangin. Le principal obstacle à la progression les unités n'était pas l'artillerie allemande encore cachée, mais les nids de mitrailleuses sous béton, dispersées sur tout le champ de bataille, non repérables par l'aviation, ainsi que les portables surgissant des cavernes. Guignabaudet (2e division d'infanterie) échoue sur Craonne où les mitrailleuses sont restées intactes, malgré le bombardement, sous leurs coupoles de béton. « Les régiments, explique le général Muteau, ont été pris presque aussitôt sous le feu. » Le premier corps perd six mille cinq cents hommes en quelques minutes. Un massacre.

« Dans la plaine à l'est de Craonne, souligne Muteau, un grand nombre [de mitrailleuses] se sont révélées en plein champ, sans que les photographies, prises dans ces derniers temps, aient pu en faire soupçonner la présence. » Les Allemands protègent par des contre-attaques incessantes leurs observatoires d'artillerie du massif de Brimont, vers l'est du mont Spin. La brigade russe et les fantassins du 403e résistent à plus de dix-neuf contre-attaques dans la journée et la nuit. Les chars du commandant Bossut (tué au combat) ne peuvent résister aux obus calorigènes et ne réussissent pas à percer entre la montagne de Reims et le Chemin des Dames. Ainsi tout accable Nivelle, au soir du 16 avril 1917.

Le commandant Tourès, officier de liaison du général en chef auprès de Mangin dresse le premier bilan : les causes de ce « mécompte », dit-il, sont d'abord le renforcement des effectifs ennemis. La surprise n'a pas joué. Les défenses étaient plus fortes que prévues. Mais il faut ajouter la « défectuosité de notre préparation d'artillerie, le mauvais temps » et l'abondance des mitrailleuses non détruites. C'est un échec cuisant.

Pourtant Nivelle donne l'ordre de poursuivre. Il compte sur l'élargissement du champ de bataille en Champagne et sur une préparation d'artillerie plus sérieuse. Il donne des ordres pour que la synchronisation des armes soit respectée strictement. Il veut refaire le lendemain ce qu'il n'a pas eu la chance d'accomplir le 16 avril. La « méthode de Verdun » est-elle inapplicable sur le plateau de Californie ou dans le massif de Brimont ? Le général en chef ne veut pas le croire. Malgré les très lourdes pertes, il estime que la percée est encore possible. Il ne peut envisager de laisser aux Allemands le temps de se renforcer, de recevoir, par exemple, des renforts venus du front de l'Est. Il a usé ses meilleurs troupes à l'assaut de forteresses imprenables, mais il persévère.

Il n'a plus que vingt-quatre heures pour tenir les engagements pris à Londres et dans le wagon de Poincaré à Compiègne. Personne ne peut l'arrêter. Pas un politique pour l'empêcher de s'obstiner. N'a-t-il pas pris des engagements ?

Il ne les tient pas. La journée du 17 est aussi décevante, encore plus lourde en pertes. Mangin, tenu en respect la veille, devait s'organiser sur les positions conquises, très fragiles, de la crête. On lui retirait son artillerie. On lui refusait des renforts, sauf une division de réserve pour contenir les contre-attaques. Il ne voulait pas rester sur un échec et bouillait d'obtenir des troupes fraîches. Micheler le surveillait de près, l'obligeant à borner son rôle à la conquête et à la protection des observatoires. Comme Pétain en Champagne, soucieux de se maintenir à tout prix au mont Cornillet. Les généraux de Nivelle n'avaient plus la percée en tête. Ils voulaient utiliser au mieux pour une rectification du front les lourds moyens employés pour l'offensive, qui manifestement tournait court.

Comment empêcher Nivelle de poursuivre, alors que le 18 avril, malgré l'échec de Mazel à l'aile droite et le piétinement de l'armée Anthoine dans les massifs de Champagne, il gardait une armée entière, la 10e en réserve ?

On s'engageait dans la guerre de positions. Le mont Spin, les plateaux de Craonne et de Californie, le mont Sapigneul, le mont Cornillet devenaient des objectifs incontournables. Leurs observatoires conditionnaient les tirs de l'artillerie à longue portée. Comment Nivelle n'avait-il pas, au départ, tenu compte des contraintes de ce nettoyage préalable, extrêmement coûteux, des forteresses ?

La guerre de positions était inexpiable et sans fin. Il devenait impossible de l'arrêter. Mangin seul prétendait s'échapper, avec les moyens qu'on lui laissait. Il avait continué à attaquer le 17 avril, prétendant qu'il n'avait pas reçu les ordres de Nivelle. Mais il bornait désormais ses ambitions au maintien de la conquête des observatoires des crêtes. Plus question de dévaler vers Laon les pentes du Chemin des Dames.

Voici donc l'équipe de Verdun, Nivelle-Mangin, accablée par le rapport des pertes subies au cours de ces quarante-huit heures tragiques, impuissante devant une position imprenable et incontournable. Il était question désormais de nettoyer les creutes au lance-flammes, de faire gravir les pentes boueuses par des attelages de dix-huit chevaux traînant les pièces lourdes, de s'égorger dans les tranchées sans cesse prises et reprises. Les généraux pouvaient être héroïques comme Pellé et Mitry, ils n'en comptaient pas moins leurs morts et leurs blessés.

Les unités du 20e corps de Mazillier devaient être relevées sur-le-champ. On regroupait les Sénégalais sans officiers, errant entre les lignes. On se battait à la grenade et au couteau de tranchée, férocement, dans les collines transformées en forteresses. A Craonne, les blessés étaient des morts en sursis. La mitraille pleuvait, décourageant tout secours.

Il restait à Nivelle la 10e armée intacte. Il ne songeait qu'à l'engager. Mais comment, sur quel axe ? Mazel piétinait encore sur le plateau de Californie et de Vaucler. Le 1er corps du général Muteau — les meilleurs régiments de l'armée — était décimé, exsangue, accablé de fatigue et de froid. Sans boire et sans manger depuis quatre jours et quatre nuits, les hommes « privés de sommeil, étaient pris sous les feux croisés des mitrailleuses casematées ».

Les généraux sont, du point de vue de Nivelle, encore irréprochables : les Mazillier, Muteau, Guignebaudet, Grégoire, Rauscher, Boulangé (un ancien du 21 février à Verdun) ont tenu sous le feu infernal et interdit aux hommes tout recul. Mangin est devenu suspect pour refuser de rester en place. Ils ont en même temps veillé à éviter les sacrifices inutiles. Le seul muté (mais non limogé) est Muteau, parce qu'il a perdu beaucoup de monde pour s'emparer des tranchées de Craonne et qu'il a dû replier les survivants de ses très belles unités (les meilleures de l'armée métropolitaine) devant des contre-attaques très violentes de l'ennemi.

Pour obéir sans discuter aux ordres d'attaque incessants, les généraux ont, très lucidement, presque tous accepté l'écrasement de leurs troupes qui n'ont à aucun moment manqué de courage au combat, en dépit de rares exceptions [1]. De bons chefs, aux yeux de Nivelle. Pas question de les limoger, comme à Verdun, ou à la Marne. Aucune défaillance parmi eux. Et le seul motif de limogeage serait, comme par le passé, d'avoir reculé sans ordre, ou manœuvré sans discernement. En aucun cas, d'avoir fait tuer en vain des hommes pour obéir aux ordres.

Mais ces fonceurs, commandant des troupes d'élite, ont réalisé sur le terrain les faiblesses et les absurdités de l'offensive. Ils se sont très vite ralliés à la tactique de Pétain, d'accrochage à des points précis de conquête, utilisables pour la suite des opérations. Ils ont compris que la tentative de percée était vouée à l'échec, et que Nivelle s'était trompé. Même Mangin a réduit ses objectifs au maintien de ses troupes sur la crête du Chemin des Dames. La bataille qui se poursuit n'a pas pour but de gagner, mais de ne pas tout perdre.

Elle tourne mal, d'un bout à l'autre de la ligne, les pertes s'additionnent sans résultat notable. A Paris le milieu politique s'émeut, on parle du « massacre des bataillons noirs, d'au moins la moitié des régiments russes ». Painlevé fait la critique de l'opération devant Poincaré : pas de feu d'artillerie suffisant, un départ trop précipité, désordre dans l'espace en arrière des lignes. Nivelle a gaspillé entièrement cinq divisions, endommagé vingt-trois autres. Sommes-nous si riches en hommes ?

---

1. Dès le 16 avril un refus d'obéissance est signalé dans la ferme du Choléra, à l'est du front d'attaque, à la 69ᵉ division de la 5ᵉ armée commandée par le général Mazel. Un caporal et cinq hommes du 151ᵉ régiment ont été condamnés à mort. Une autre mutinerie, au 108ᵉ régiment, affecte la division Mordacq dans le secteur d'Auberive.

Micheler, responsable du groupe d'armées d'assaut de l'ouest (5ᵉ, 6ᵉ et 10ᵉ armée de Duchêne) critique à son tour la poursuite de l'offensive vers l'est. Les opérations se ralentissent à partir du 19 avril et jusqu'au 22. Nivelle est surpris de l'initiative du général Hirschauer, commandant le 18ᵉ corps. Celui-ci a fait savoir au député de droite Ybernegaray que les officiers et soldats du 18ᵉ corps de la 10ᵉ armée de Duchêne, ancien chef d'état-major de Foch, redoutaient une « nouvelle hécatombe inutile ». Poincaré est aussitôt intervenu auprès de Nivelle :

« Le président de la République, a été très ému par des exécutants qui considèrent comme tout à fait prématurée et comme impossible, à la date fixée, la reprise des attaques sur Craonne et le plateau de Vaucler... Il convient d'interroger d'extrême urgence sur cette situation non seulement Duchêne, mais le général Hirschauer. »

Pour la première fois depuis le début de la guerre le président de la République se fait officiellement l'interprète, devant le commandant en chef, de la révolte des généraux. Faut-il déjà limoger Nivelle ?

L'affaire est étouffée. Nivelle exprime sa « douloureuse surprise », assure qu'il ne peut « exercer un commandement dans ces conditions », demande une sanction, après enquête, contre les généraux et leur limogeage. Ces derniers se soumettent, et tout rentre dans l'ordre.

Mais Painlevé interroge Mazel, sur l'opération projetée contre le fort de Brimont. Il veut la décommander, quand on lui cite le chiffre de 60 000 participants. Nivelle dément. Il n'en utilisera pas le quinzième. Il écrit au ministre pour préciser qu'il est « seul juge du fini de l'opération et a seul qualité pour modifier le jour J ». Il concède vingt-quatre heures de retard, accepte de partir seulement le 2 mai. Au Conseil de guerre, Painlevé a affirmé que Pétain et Mazel étaient hostiles à la reprise de l'offensive. Mazel ? Un traître ? Nivelle s'étonne, puis se résigne. S'il en est ainsi, il faut changer Mazel.

On refuse ce limogeage à Nivelle. Ainsi, il n'a plus autorité pour choisir ses propres collaborateurs. Il ne peut pas renvoyer un chef d'armée. Il n'est plus le maître, même des opérations. Le Conseil des ministres suit Painlevé pour interdire l'attaque de Brimont et en informe Nivelle le 29 avril. Il nomme Pétain chef d'état-major général de l'armée, pour « éclairer le ministre de la Guerre sur la valeur technique des programmes qui seront établis par le haut commandement ». Fayolle remplace Pétain à la tête du groupe des armées du Centre et le major général Pont cède sa place au pétainiste Debeney. La reprise en main est faite.

Si l'on ne remplace pas tout de suite Nivelle, c'est qu'il garde l'oreille des Anglais. Haig, puis Lloyd George viennent à Paris pour s'assurer que les Français continueront leur offensive. Les plans anglais dans les Flandres prévoient une attaque générale en juin. Il faut que Nivelle tienne le front de l'Aisne jusque-là pour y fixer les gros effectifs allemands. La décision de poursuivre est prise à la conférence des chefs militaires alliés qui se tient à Paris les 4 et 5 mai. Ribot et Painlevé s'engagent à se conformer à l'avis général de reprise. Cependant, Painlevé ajoute : « Par une méthode scientifique », c'est-à-dire d'économie dans l'emploi des hommes au front.

Pas question de renvoyer dans l'immédiat

Nivelle. Mangin d'abord. Son nom est le symbole de l'offensive. On accorde à Nivelle la tête de Mazel, à condition qu'il renvoie lui-même Mangin, remplacé par Maistre. Micheler, l'adversaire de Nivelle, ne doit qu'à ses protections d'être rétrogradé au commandement de la 5e armée. Son protecteur, Foch, est en effet de retour, il sera nommé chef d'état-major général au poste prévu initialement pour Pétain.

Nivelle se prête à l'opération qu'on attend de lui, de renvoyer lui-même son camarade. Il écrit de sa plume à son ami et collaborateur : « Mon cher Mangin, obligé de constater que vous n'avez plus la confiance de vos subordonnés [Nivelle a-t-il la confiance des siens ?] je me vois contraint, d'accord avec le ministre de la Guerre et à mon très grand chagrin, de vous remettre à la disposition du ministre. C'est un bien douloureux et pénible devoir pour moi d'avoir à faire ce grand chagrin à mon fidèle compagnon d'armes de la Somme et de Verdun, mais la Patrie seule compte et nous devons nous incliner. Je vous envoie ma cordiale accolade. »

Le 11 mai, le liquidateur était lui-même liquidé en conseil de guerre : Painlevé lui demandait sa démission. Le 15, il se mettait à disposition du gouvernement et Pétain devenait général en chef à part entière. On n'entendrait plus jamais parler de Nivelle aux armées. A aucun prix Pétain ne voulait lui rendre un commandement, comme il en fut prié à plusieurs reprises.

Et les poilus continuaient à se faire tuer : l'offensive de mai partait, comme Ribot l'avait promis aux Anglais, et Nivelle la conduisait encore, rivé à son siège de général en chef. On attaquerait aux extrémités du Chemin des Dames, mais aussi en Champagne. Franchet d'Esperey, coiffant désormais la 6e armée protestait, parlait de ménager le « moral de la nation » [1]. Nivelle lui recommandait l'« exécution des ordres donnés ». Painlevé, ayant eu la tête de Nivelle, ne se préoccupait plus des pertes. Il admettait un nouvel assaut du plateau meurtrier de Craonne, où les Français avaient déjà perdu tant de monde, en dépit du renforcement constant des moyens ennemis.

Le 4 mai, la 5e armée avait attaqué et subi de lourdes pertes. Celles du général Anthoine, sur le front de Champagne étaient « sensibles », sur le piton « truqué » du mont Blond dont le tunnel avait résisté au tir des obusiers de 400. Le 5 mai, l'assaut de la 6e armée sur le Chemin des Dames était particulièrement meurtrier. Une division de cavalerie à pied, soutenue par les chars, avait avancé sur le Moulin de Laffaux, mais elle avait été détruite. Le 20e corps, ramené au combat après avoir été hâtivement recomplété, bondissait vers les creutes et fondait sous le tir des mitrailleuses. Devant le 11e corps, on en comptait une tous les dix mètres. L'attaque reprenait néanmoins, en pure perte, le 6 mai. Mais le général Maistre, à 18 heures, consentait à arrêter les frais.

Quant à la 10e armée de Duchêne, elle avait tenté de conquérir les plateaux maudits de Craonne, de Californie et de Vauclerc. Elle avait anéanti un corps de la garde prussienne dans un combat acharné, mais les divisions d'assaut devaient être remplacées le soir même du 5 mai.

Le bombardement allemand des positions conquises était tel que Franchet d'Esperey devait organiser la noria des divisions, comme à Verdun,

1. Voir AFGG, t. 5, 1er vol., annexes, doc. 1690.

sur la position. Au 9 mai, il était clair que l'offensive était un désastre. Depuis le début du mois, les mutineries étaient étouffées dans les corps, parmi les unités déjà engagées le 16 avril, et qui refusaient de monter de nouveau au casse-pipe dans les mêmes conditions les 5 et 6 mai.

Le 29 mai, le général Franchet d'Esperay signalait à Pétain que « à la dernière heure, à la suite de conciliabules entre soldats, deux régiments, le 36e et le 129e d'infanterie [1] avaient décidé de marcher sur Paris ». C'était, dans les unités rassemblées par Nivelle, le point critique des mutineries qui toucheraient plus de la moitié des divisions de l'armée française.

Les pertes établies officiellement étaient de 139 589 hommes pour les quatre armées, dans la période du 16 avril au 10 mai. Les unités de choc étaient, une fois de plus, après Verdun, après la Somme, décapitées pour un très maigre profit. Les soldats avaient engagé la grève de la guerre, estimant qu'on les entraînait à la mort sans leur donner aucune chance de survivre, et pour des opérations vouées à l'échec. Ils n'ont pas accepté de repartir pour la deuxième vague, celle du début de mai. Aucun général ne pouvait plus alors prononcer le mot *offensive*, sans risquer un refus global de monter en ligne. A la 4e armée, un rapport sur le moral le précisait : « Les hommes ont dit qu'ils voulaient bien défendre les tranchées, mais qu'ils refusaient d'attaquer, car c'est une boucherie inutile. »

Les mutineries une fois réprimées, le débat poli-

1. Recrutés initialement à Caen et Le Havre.

tique prenait de l'ampleur. Députés et sénateurs demandaient des comptes, exigeaient des sanctions. Pétain avait mis Nivelle et Mangin en disponibilité, sans plus. Le cabinet restait en place. Ribot, devant les bruits de négociations, avait réaffirmé à la tribune de la Chambre le 22 mai : « La paix ne peut sortir que de la victoire. »

Le septième comité secret du 29 au 7 juillet 1917 ouvrait le dossier du Chemin des Dames. Le radical Dabiez dénonçait le « principe même des offensives ». Pour lui, Nivelle avait « conduit l'armée à deux doigts de l'abîme ». Briand, Ribot et Painlevé étaient responsables. Le radical Ferry exigeait une « politique de sanctions à l'égard des grandes fautes ». Il lisait un rapport de la commission de l'armée sur l'offensive, reprenant les critiques habituelles et surtout la préparation insuffisante de l'artillerie : « C'est là le crime », concluait-il.

Un crime ? Nivelle devant le Conseil de guerre ? Il avait attaqué « au point le plus fort » et l'ennemi en était averti. Pourquoi Painlevé l'avait-il ménagé ? Pourquoi lui avoir réservé une sanction « à la fois tardive et bien dorée » ? Ybernegaray avait affirmé : « Les chefs portent, entière et redoutable, la responsabilité de la bataille et de l'échec du 16 avril. » Il les désignait nommément : « Nivelle, Micheler, Mangin et Mazel. » Painlevé, à la commission, avait défendu Nivelle, et Ribot, au débat sur le 16 avril, approuvé par Poincaré, avait répondu que le « gouvernement n'avait pas voulu effacer la page de Verdun ».

Le 30 juin, au comité secret de la Chambre des députés, le radical-socialiste Albert Favre avait repris l'attaque contre Ribot et Painlevé. Ils étaient présents dans le wagon présidentiel à Compiègne quand on avait décidé, tous ensemble, de l'offensive. Ils auraient pu s'y opposer. Poincaré lui-même avait défendu Nivelle.

« Ce n'est pas le président de la République qui gouverne, avait tranché Ribot, c'est le cabinet. »

Painlevé avait-il obéi « à des influences et à des forces supérieures » ? Aucun général, dit-il, ne voulait renoncer à l'offensive, parce qu'ils craignaient le renforcement constant des effectifs allemands à l'ouest. Mais ils discutaient de son ampleur. L'affaire du Chemin des Dames n'était du reste pas un échec, mais un « résultat acheté trop cher ». Pourquoi n'avoir pas sanctionné Nivelle et les généraux ? Parce qu'une disgrâce brutale « aurait fait croire à une défaite ». Il expliquait ensuite qu'il n'avait pas les moyens d'arrêter l'offensive : « C'était à peu près aussi facile que d'arrêter un train express en se mettant devant. »

Le coupable, pour Painlevé, était Nivelle lui-même. Mais il était impossible de le sanctionner trop lourdement. On pouvait punir une faute, pas un crime.

Le débat politique se terminait sans aucune sanction. Pourtant, le 7 septembre, le cabinet Ribot-Painlevé tombait. Mais il était remplacé par un ministère Painlevé-Ribot. Poincaré l'avait voulu ainsi, pour assurer la paix de victoire. Ribot en était le partisan déclaré. Quant à Painlevé, il était l'otage nécessaire de la gauche, même s'il ne devait plus rallier les voix socialistes et maintenir l'union sacrée.

La présence de Pétain à la tête des armées rassurait alors l'opinion de gauche. Il avait réprimé les mutineries avec pondération. On lui en savait gré. Il avait apaisé l'armée par les mesures qu'elle réclamait, il avait promis de considérer les soldats comme des citoyens aux droits égaux. Il avait surtout signifié l'arrêt des offensives. On ne lui en demandait pas plus.

La victoire du clan des temporisateurs était complète, à ceci près que Foch devenait major général et qu'il était connu pour son dynamisme. Mais l'échec de la bataille de la Somme l'avait calmé. S'il était rentré en grâce c'est que, après Nivelle, il fallait un général français en vue qui rassurât l'allié britannique. Pas plus que Pétain, Foch n'était partisan de sanctions dures contre les généraux qui avaient perdu la bataille. Il connaissait trop bien l'incertitude des armes et ne risquait pas de nourrir contre Nivelle les griefs qui avaient été à l'origine de son propre limogeage.

Nivelle serait-il jugé en conseil de guerre comme beaucoup de parlementaires et la majorité des poilus le souhaitaient ? Il était alors l'homme le plus impopulaire de France, le bouc émissaire du massacre. Que faire ?

Léon Bourgeois suggérait une commission d'enquête. Poincaré s'emparait de l'idée. Ribot l'appuyait « timidement », car les mutineries, en juillet 1917, n'étaient pas terminées. Painlevé s'y était rallié. Son reproche majeur contre Nivelle était celui-là même de Pétain. Il ne pouvait envisager le 16 avril que la prise des premières et secondes positions ennemies, à condition que la météo fût favorable et que les pertes ne fussent pas trop lourdes. Agir autrement était une faute.

La « méthode aventureuse » du général avait conduit à des « hécatombes inutiles ». Pour Painlevé une enquête, soit ! Mais suivie, s'il se pouvait, d'un procès devant un tribunal militaire. Le 17 juillet, dans cet esprit, il décidait de la création de la commission d'enquête. Trois généraux sont désignés : Foch, major général, peu suspect de complaisance envers Pétain et susceptible de comprendre le cas Nivelle. Gouraud, de la 4e armée, rescapé des Dardanelles, colonial ami de Lyautey et fort hostile aux briandistes et le vieux général Brugère, dont chacun louait l'impartialité. Pour la première fois un général en chef comparaissait, mais devant ses pairs.

Sans témoins, sans public et à l'abri des indiscrétions de la presse. Les trois généraux jugeaient sur rapports, n'entendant que quelques responsables directs. Les travaux seraient effectués tout l'été, et les conclusions remises à Paul Painlevé, président du Conseil, le 4 octobre 1917.

La procédure consistait à chercher à établir s'il y avait eu ou non faute du général Nivelle. La commission n'avait aucun pouvoir judiciaire, elle était seulement destinée à éclairer le gouvernement. Il n'était pas question de laisser voir aux poilus que leurs généraux étaient des incapables, ni de donner des armes aux pacifistes. La guerre continuait en Champagne et sur la ligne de l'Aisne. Les Français attaquaient aux côtés des Anglais dans le nord. On se battait encore à Verdun et Pétain préparait l'action limitée de la Malmaison. La commission estimait qu'elle se devait de ne pas détruire le moral difficilement rétabli de l'armée.

Les généraux voulaient réduire l'affaire à un demi-échec, et faire oublier les responsables. Franchet d'Esperey était venu affirmer la totale responsabilité de politiques qui avaient donné à Nivelle un blanc-seing à Compiègne. Painlevé se défendait dans une note écrite à la commission en expliquant qu'il avait voulu seulement éviter l'aventure et tenir Nivelle dans des limites raisonnables.

Malgré les réserves exprimées par trois généraux, c'était pourtant le pouvoir politique qui avait donné à Nivelle l'autorisation de partir.

Telle était la conclusion du rapport : le pouvoir avait nommé Nivelle pour ses qualités offensives. Il lui avait renouvelé sa confiance le 6 avril à Compiègne. Il lui avait permis de poursuivre les opérations en mai.

Sur l'affaire elle-même, les généraux se gardaient de juger, invoquant les hasards de la guerre. « Il paraît impossible d'affirmer que le plan du général Nivelle n'était pas réalisable. » Après tout Pétain avait condamné ou freiné l'opération d'octobre 1916 à Verdun, qui avait été un succès pour Nivelle et Mangin. Les généraux n'insistaient nullement sur la surprise manquée du 16 avril, sur les insuffisances du renseignement. Ils invoquaient au contraire les résultats de l'offensive, les prisonniers. les gains d'observatoires, les pertes ennemies.

Les pertes ? Très comparables à celles de l'offensive de Champagne. La conclusion était la réhabilitation de Nivelle, l'« excellent commandant de la 2e armée pendant les grandes journées de Verdun ». Déçu, Painlevé demandait un nouvel examen. Un mois plus tard, les rapporteurs écrivaient à Clemenceau, le nouveau président du Conseil, pour refuser toute modification au texte. Clemenceau nommait Nivelle à Alger et Mangin à la tête d'un corps d'armée. Pour lui, l'incident était clos et Nivelle oublié.

Oubliées les déficiences en matériel, l'infériorité des avions de chasse, l'insuffisance et le peu de mobilité des canons lourds. Oubliées l'impuissance de Nivelle à créer la surprise et son ignorance ou sa négligence de la résistance des lignes allemandes, oubliés les cafouillages des généraux sur un espace de manœuvre trop resserré, l'insuffisance du service de santé qui laissait sans soins appropriés les quelque 80 000 blessés du champ de bataille. Oublié, comme le rappelait le député Diagne, l'emploi scandaleux des tirailleurs Sénégalais dans la neige et la boue, alors qu'ils ne devaient pas combattre l'hiver.

Évacuée la responsabilité capitale du pouvoir politique, qui avait entièrement donné carte blanche à Nivelle et soutenu, voire imposé, l'offensive jusqu'au bout. Jusqu'au nouveau massacre du début du mois de mai. Les politiques sortaient de la crise blancs comme neige. Ils n'avaient fait que suivre les vœux de la majorité du Parlement, qui exigeait une sortie de guerre rapide et victorieuse. Les généraux pouvaient retourner en paix à leurs affaires. Les tribunaux militaires n'étaient pas faits pour eux.

CHAPITRE V

Les ponts du général Duchêne

A la fin du mois de mai 1918, le général Duchêne commande la 6e armée française sur la ligne de l'Aisne, et tient le Chemin des Dames, si douloureusement conquis en 1917. Ludendorff, le quartier-maître général allemand, a décidé d'une nouvelle poussée sur le front français, pour engager une autre bataille de la Marne qu'il considère d'avance comme gagnée, au regard de la supériorité de ses moyens. Ses troupes d'assaut doivent franchir l'Aisne et marcher sur la Marne. Pour l'en empêcher, le général Duchêne doit faire sauter les ponts sur l'Aisne. Et les ponts ne sautent pas.

Les *Stosstruppen* les franchissent en courant, se précipitent sur l'autre rive pour accabler les Français en retraite. Le général Duchêne est responsable de ce revers. Il doit en rendre compte, comme d'une faute professionnelle. Comme Nivelle de l'attaque manquée du Chemin des Dames. Georges Clemenceau est alors au pouvoir, et le Tigre ne plaisante pas avec les erreurs des généraux. Le vieux jacobin de la rue Saint-Dominique l'a maintes fois fait savoir.

Il connaît bien Duchêne, un élève de Foch, un partisan de la défense « sans esprit de recul », sur la première ligne. Le général Duchêne était, en août 1914, chef d'état-major et colonel du 20e corps commandé par le général Foch. Il l'avait suivi dans la terrible épreuve de l'offensive de Morhange. Dans le sillage de son patron, il avait été nommé commandant du 2e corps en 1915, où il se trouvait à la tête des excellentes divisions recrutées à Amiens, Mézières, Rouen, Rennes et Nantes. Mangin avait été brigadier dans ce corps en 1914. Pendant la bataille de Verdun la conduite au feu du général Duchêne l'avait fait désigner par Pétain comme l'un des quatre chefs de groupement [1] chargés de la défense pied à pied des positions successives. Ces généraux avaient compté dans leurs unités 25 000 morts en six jours de bataille.

Duchêne, né en 1862, de onze ans moins âgé que Foch, était encore considéré comme un jeune général de cinquante-six ans, qui avait la fin de sa carrière à parcourir. En 1917, Nivelle n'avait pas fait d'objection à sa désignation à la tête de la 10e armée par Micheler, autre élève de Foch. Ces officiers représentaient au début de la guerre le clan des généraux de l'offensive à tout prix. En période de guerre défensive, leur mot d'ordre était de ne pas céder à l'ennemi un pouce de terrain.

Duchêne n'avait pas eu l'occasion de donner sa mesure sur le Chemin des Dames, où son armée avait été engagée tardivement. Elle avait beaucoup souffert des mutineries et devait être reconstituée dans un secteur calme. Il était resté sur place, mais il devait hériter de la 6e armée de Mangin dont la mission en mai 1917, après l'échec partiel de son

1. Avec Bazelaire, Balfourier et Guillaumat.

attaque du Chemin des Dames, avait été d'interdire à l'ennemi le franchissement de l'Aisne.

Foch était alors major général, et comptait sur Duchêne pour résister sur place jusqu'à la limite de ses forces. Il l'avait appelé auprès de lui en Italie, quand il était question d'arrêter la défaite de l'armée italienne sous les coups de boutoir des Autrichiens, après le désastre de Caporetto. Les Anglais avaient aussitôt envoyé deux divisions. Le président du Conseil Paul Painlevé avait décidé d'expédier en Italie du Nord une armée entière, celle du Chemin des Dames. Duchêne était à sa tête, aux ordres de Foch, présent en Italie, et non de Pétain. Duchêne était alors dans une situation délicate : il dépendait de Foch pour ses directives opérationnelles, et de Pétain pour en obtenir les moyens en personnel et en matériel.

Il retrouvait Foch major général et Pétain général en chef sur le front de France. Il prenait alors la tête de la 6e armée, comprenant les excellentes unités de l'ancienne armée Mangin, en partie coloniales, très aguerries au feu, recomplétées par des « bleuets » de la dernière classe, des gosses de dix-neuf ans transis de froid dans les tranchées, formés dans les camps en stages accélérés. Foch comptait sur Duchêne comme sur un chef qui ne cède pas.

Il apparaît ainsi comme un général de l'ancienne école, passé de la doctrine de l'offensive à celle de la défensive accrochée au terrain. La position de Foch, soutenue par tous les généraux de sa mouvance, est alors radicalement opposée à celle de Pétain et fait l'objet d'un débat larvé pendant tout l'hiver de 1917 à 1918, au point que Clemenceau est amené à prendre parti dans cette querelle, ce qu'il ne peut faire franchement sans s'opposer de front à l'un des deux chefs d'école.

De tendance, Duchêne est plutôt pour le terrain défendu à tout prix, et pour la contre-offensive stratégique toujours préconisée par Foch comme unique parade efficace aux gigantesques coups de boutoir préparés par Ludendorff. Ainsi Duchêne est un général marqué dans son camp, ancré dans les positions et dispositions de Foch. On ne peut l'attaquer sans mettre en question les idées du major général de l'armée française. On ne peut le défendre sans rompre avec la théorie de la défensive « sur champ de bataille d'armée » du général Pétain, qui préconise dans sa directive n° 4, du 22 décembre 1917, le recul des premières lignes jusqu'aux positions longuement aménagées des secondes, avec contre-attaque prévue des divisions de réserve sur les « môles de résistance » des deux ailes.

Ces graves questions de tactique divisent les états-majors pendant tout l'hiver précédant l'attaque allemande du 21 mars 1918 à la jonction des armées britannique et française. Les deux écoles ont leurs partisans, et marquent des points dans la phase de préparation, où les chefs de l'armée se préoccupent de rallier à leurs vues le pouvoir politique.

Pétain, d'entrée de jeu, a annoncé dès le 19 mai 1917 [1] que « l'équilibre des forces adverses ne permet pas d'envisager, pour le moment, la rupture du front suivie de l'exploitation stratégique ». Il s'installe donc, non dans l'absolue défensive, mais « dans les attaques à objectifs limités », du type la Malmaison.

Ces opérations d'une réalisation délicate suppo-

1. Directive n° 1, AFGG, 521-535.

sent par nécessité « l'échelonnement convenable de l'infanterie sur les diverses positions », au lieu de son entassement sur les premières lignes. Il en va naturellement de même pour l'artillerie. C'est une première tendance, à laquelle un Duchêne a du mal à se plier. Il fait par exemple la sourde oreille quand on lui demande instamment de retirer ses batteries d'artillerie vers l'arrière, pour éviter leur destruction immédiate au premier bombardement.

La directive n° 2 du 20 juin 1917 [1] impose aux divisionnaires l'obligation de placer au moins un quart, et jusqu'au tiers de leurs effectifs en profondeur « pour faire face aux nécessités des relèves » et pour éviter aussi l'usure des troupes. Pétain enfonce le clou. Pour maintenir le front en état d'animation permanente, il préconise « la liaison toujours plus intime [de l'infanterie] avec les autres armes », seul moyen de lancer les petites attaques surprise qui usent l'ennemi sans risques. Il est nécessaire, précise-t-il, « de créer partout une seconde position à quatre ou cinq kilomètres de la première ». De nouveau Duchêne traîne les pieds : il n'a pas les travailleurs nécessaires et d'ailleurs il manque d'espace. Il a tendance à penser que ces dispositions nouvelles ne sont pas valables sur tous les secteurs du front, et particulièrement pas sur le sien.

La deuxième révolution russe de novembre 1917 laisse prévoir une attaque allemande à l'ouest avec des effectifs renforcés : on attend le reflux de plus d'un million de soldats allemands, alors que les débarquements américains ne permettent de disposer que de 135 000 combattants dans

1. Directive n° 2, AFGG, 522-542.

l'immédiat [1]. Il est donc urgent d'arrêter une tactique de défense, et les généraux doivent y être associés.

Le refus exprimé par Pétain de lutter à tout prix sur la première position tient d'abord à l'extrême pénurie d'effectifs dont souffre l'armée française, qui ne peut plus être exposée à une usure trop rapide. Il importe de ménager les hommes et de développer le matériel. Pétain a dû dissoudre deux divisions en octobre et trois autres en novembre 1917. Il a dû engager, dès octobre, la classe 1918. « On ne peut plus lutter à coups d'hommes », disait Pétain. Il faut admettre le recul de quatre à cinq kilomètres qui permet les contre-attaques et réduit l'usure. « On perdra du terrain, dit-il aux généraux, c'est entendu. Il faut entrer dans cette voie très audacieusement, s'habituer à l'idée de lâcher du terrain. » Cette idée, Duchêne est de ceux qui ont le plus de mal à l'admettre. On s'est fait tuer pour gagner quelques arpents du Chemin des Dames, faut-il donc envisager de les lâcher ?

Quand Franchet d'Esperey, commandant du groupe d'armée du Centre, demandait à Duchêne de réaliser les indispensables travaux de construction d'une seconde position, il se heurtait à un général qui n'avait pas accepté sans murmure la directive n° 4 de Pétain [2]. Même si le généralissime prenait soin de préciser qu'il entendait donner à la défense un « caractère nettement agressif ». Faudrait-il reprendre le Chemin des Dames, après

1. Voir Pedroncini, *Pétain général en chef*, Paris, PUF, 1974, p. 177 et suiv.

2. La directive n° 4 est lancée le 22 décembre 1917, et publiée, après plusieurs modifications le 18 janvier 1918. AFGG, 618-288, p. 563-564.

l'avoir abandonné ? Retraverser l'Aisne, après en avoir fait sauter les ponts ?

Pour convaincre les généraux « d'accepter l'idée de céder du terrain », Pétain avait fait la tournée des popotes. Gouraud avait marqué sa réprobation, Duchêne avait murmuré. Pétain passait outre. Il marquait seulement avec précision que la seconde position devait être « de résistance » et qu'il était nécessaire de « tout mettre en œuvre pour s'en ressaisir », si elle était enfoncée. On ne faisait donc que reculer pour mieux sauter, et l'usure sur la seconde position ne serait pas moindre que sur la première, disaient les généraux contestataires. Ils ajoutaient que les effectifs prélevés pour s'aligner sur une nouvelle position empêcheraient de constituer les réserves de la future contre-attaque. Et Foch comme Gouraud et Duchêne ne croyaient qu'en elle.

Pétain était bientôt informé que les changements défensifs imposés entraînaient des flottements à la 6e armée. Le général en chef avait pourtant averti Duchêne comme tous les autres généraux : les Allemands venaient de réaliser dans la région de Vouziers, devant le Kromprinz, une manœuvre avec les *Stosstruppen* reposant sur la synchronisation absolue et minutieuse des armes pendant l'attaque. Reprenant les méthodes du siège de Riga, ils arriveraient par surprise, après une préparation brutale, et exploiteraient rapidement la percée sur le terrain. L'assaut simulé à Vouziers avait permis une avance de douze kilomètres dans une seule journée. Les généraux français étaient prévenus.

Duchêne a poursuivi néanmoins les travaux de mise en place de la seconde position, même s'il a manqué d'adopter « les dispositions tactiques » nécessaires pour utiliser au mieux le « champ de bataille d'armée ». Le général Roques, par son rapport du 19 novembre 1917, exigé par Clemenceau, apporte d'abord de l'eau au moulin de Duchêne. Il estime que la seconde position se réduit à de « simples tranchées, protégées par d'assez nombreux réseaux de fil de fer ». Les troupes ont-elles été entraînées aux mouvements sur le « champ de bataille d'armée » ? On ne peut en même temps, concluait ce rapport, les instruire et les faire travailler.

Roques et Foch multiplient les critiques, au point de susciter un débat politique, et un échange de lettres aigre-doux entre le général en chef et le président du Conseil. Les deux positions ne sont pas sans contradiction : comment affecter, comme le souhaite Roques, davantage de troupes aux travaux de la seconde position, si l'on estime comme lui plus efficace de tenir à tout prix sur la première ? Comment refuser d'engager les divisions dans un rythme accéléré de construction de défenses, comme le souhaite Clemenceau, sans nuire à l'instruction seule capable de donner des bonnes troupes pour la contre-offensive ?

Pétain, en défendant ce point de vue, semble militer contre ses propres idées. Clemenceau, en exigeant des travaux accrus, paraît renoncer à la doctrine de la contre-offensive de Foch. Comment Duchêne, dans ce débat confus des grands chefs, pourrait-il éclairer sa lanterne ? Il décide de suivre Foch, comme il l'a toujours fait, tout en obéissant à Pétain, ce qu'il ne peut éviter.

Les visites des envoyés de l'état-major sont en effet fréquentes sur tous les fronts, et le chef de la 6e armée ne peut s'y dérober, puisqu'il doit recevoir

Pétain lui-même. On commence à soupçonner dans les hauts cadres de l'armée que les attaques contre la position défensive visent Pétain, et que Foch y souscrit pour obtenir de Clemenceau le commandement unique des forces alliées, qui lui permettra de coiffer le général en chef français.

La seconde ligne de défense existe peu sur le front britannique et il faut s'attendre de ce côté à des surprises désagréables qui rendront nécessaire, comme en 1917 qu'un général français bien vu des Anglais prenne la responsabilité d'un commandement commun. L'heure de Foch approche et ses fidèles en sont conscients. C'est lui qu'il faut servir en priorité, même si l'on doit feindre d'adhérer à la nouvelle doctrine de Pétain. Le cas Duchêne est donc compris dans l'affrontement larvé, secret, rarement avoué des généraux candidats au commandement suprême.

Les généraux français et britanniques passent l'hiver à disputer de stratégie, et pas seulement de tactique, invoquant l'aide de leurs gouvernements dans les réunion communes du Conseil supérieur de guerre. Pétain et Haig se rejoignent pour imposer une stratégie défensive avec un minimum d'action commune (limitée à l'intervention de six divisions dans l'urgence, d'un côté comme de l'autre). Les visées de Foch sur l'utilisation d'une réserve interalliée par un commandement unique séduisent d'abord, mais ne s'imposent pas. Pétain fait remarquer que si les Allemands ont désormais les moyens de livrer trois ou quatre batailles de type Verdun ou la Somme, ce n'est pas le cas des Alliés qui manquent cruellement d'effectifs.

La puissante « contre-offensive de dégagement » dont rêve Foch supposerait la mobilisation d'une trentaine de divisions dont les quartiers généraux alliés sont alors très loin de disposer. Pétain veut bien accepter que Foch nourrisse des projets d'état-major pour la période où les nécessités de la défensive seront devenues moins urgentes, mais pas dans l'immédiat.

Qu'il soit prédésigné comme le président d'un comité exécutif du Conseil supérieur de guerre admis par Lloyd George et Clemenceau l'irrite profondément. Cela permet à Foch de jouer un rôle international et de briguer pour lui-même un commandement unique. Les généraux du clan Foch relèvent la tête. Le « patron » sera-t-il incessamment chargé de la conduite générale de la guerre ? La création d'une large réserve de divisions interalliées mises à la disposition d'un tel chef serait un début de réalisation. Les Duchêne, les Gouraud, les Mangin peut-être, s'il retrouvait un commandement, seraient retirés du front avec leurs unités (au cas où les Britanniques accepteraient de tenir plus largement les lignes, ce que leur demande Pétain) et pourraient rêver d'un retour à l'offensive sous l'autorité de Foch.

Ainsi Duchêne serait-il arraché très opportunément à sa mission de tenir la ligne angoissante de l'Aisne. L'armée française aurait deux commandements. Une conférence des Alliés à Versailles le laissait entendre. On arriverait ainsi à cette étrange situation dénoncée par le critique militaire anglais Repington : sous prétexte de marcher vers l'unité de commandement, « un projet qui veut confier à deux généraux le commandement du front et à un troisième celui des réserves est condamné d'avance par son absurdité ».

Mais l'imminence de l'attaque allemande rendait la parole aux prudents : « Il est impossible d'ôter des divisions à Haig et Pétain », disait Clemenceau à la troisième réunion du Conseil supérieur de guerre des 14 et 15 mars, une semaine avant l'attaque de Ludendorff. Il n'était plus question que de définir des modalités d'entraide entre alliés, limitées forcément à quelques unités.

On estimait à l'état-major de Pétain le total des divisions destinées à contenir la poussée allemande à une quarantaine. C'est seulement six divisions de première urgence que Pétain se proposait, par contrat, de fournir immédiatement à Haig si son front était enfoncé. Pétain avait imposé sa conception de la guerre défensive économe en troupes, et fort peu coopérative dans une optique interalliée. L'affaire était désormais tranchée, et comme d'habitude par les politiques : plus de discussions stratégiques entre les généraux en chef. Dans le danger, les armées nationales serraient les rangs : le général Duchêne, bon gré mal gré devrait tenir les ponts de la ligne de l'Aisne, aux ordres de Pétain.

Le sol tremble au matin du 21 mars 1918, mais assez loin vers l'ouest. Le front Duchêne reste inquiet. On prévoit non seulement l'attaque dans la région de Cambrai, et à la jonction de la 5e armée anglaise et de la 3e française, mais aussi contre Reims. Cette double prévision trouble jusqu'au bout Pétain. Jusqu'où peut-il soutenir Haig et enrayer la déroute de l'armée Gough, si l'ennemi menace Reims ?

Quand les Allemands provoquent la retraite rapide de la 5e armée britannique, force est à Pétain d'intervenir en dépêchant six divisions de secours, plus une de cavalerie. Mais il doit encore conforter la liaison avec les Britanniques, en tenant la région du canal Croizat.

Le 22 mars, il contacte Duchêne à son PC. Le général français doit rejeter les Allemands sur son aile gauche, avec le secours de la 58e division anglaise placée sous ses ordres. Le 23 mars, la situation s'aggrave. Dans la nuit, Haig a rencontré Pétain pour lui demander de prendre en charge le secteur entre l'Oise et la Somme. Un groupement Fayolle est créé, avec les armées Debeney et Humbert. Duchêne n'est concerné qu'à son aile gauche. Il ne participe que faiblement à la contre-offensive. On lui demande de tenir plus solidement que jamais le Chemin des Dames, parce que Pétain redoute encore une deuxième attaque contre Reims. Duchêne se borne à céder, le 25 mars, sa 53e division au général Humbert pour renforcer la 3e armée française toujours menacée par la retraite de Gough et la menace d'une rupture définitive des fronts français et britannique.

Duchêne est cependant l'objet d'une attaque partielle allemande, sur l'Ailette, du 6 au 8 avril 1918 [1]. Il ne songe qu'à appliquer la tactique défensive de Foch : « Il n'y a pas de terrain à perdre, c'est la défense pied à pied du territoire qui est à réaliser », écrit-il alors. Le général demandait aux troupes de sa 6e armée de tenir sur place car, disait-il, « il ne s'agit pas de défense en profondeur ».

Les Allemands avaient été découragés par cette résistance. Leur coup de poing était seulement destiné à tâter le terrain. Mais l'attitude de Duchêne avait paru étrange à l'état-major de Franchet d'Esperey, commandant le groupe des armées du Centre. Il faisait savoir le 16 avril que les ordres concernant la première position ne pouvaient

1. Voir Pedroncini, *op.cit.*, p. 365.

concerner qu'une partie de son front, celle où la 6e armée avait dû se retrancher après le recul de son aile gauche. Quant à Pétain, informé de l'attitude de Duchêne, il écrivait à Franchet d'Esperey, le 17 avril, qu'il comptait que le général Duchêne respecterait au plus juste sa directive n° 4.

Duchêne n'a cure de ces reproches. Heureux que Foch ait reçu à Doullens la mission de « coordonner l'action des armées alliées sur le front ouest », il n'attend plus de satisfaction que l'approbation de son ancien chef. Le commandement unique est en voie de réalisation. Clemenceau et lord Milner sont intervenus pour tenir les généraux « par la peau du cou », ils ont fait de Foch leur représentant unique [1]. Il a l'initiative essentielle d'acheminer les réserves au front, et donc de décider de la politique de guerre. Il a pour tâche de rétablir et de renforcer la liaison entre les lignes françaises et britanniques.

Duchêne n'est pas concerné par la seconde offensive allemande des Flandres, du 9 au 29 avril. Il assiste l'arme au pied au glissement continu des réserves françaises vers le nord, où elles viennent en aide à l'armée britannique. Les groupements Maistre (10e armée) et Micheler (5e armée) ont en effet pris le chemin des champs de bataille du nord, en renfort sur les arrières britanniques.

Pétain a décidé de créer un détachement d'armées du Nord, pour regrouper sous le commandement unique du général de Mitry les forces engagées dans les Flandres et en Picardie. Duchêne, à cette occasion, lorsque s'affirme la volonté du général en chef de l'armée française de dominer une situation

1. Le 3 avril 1918, Foch recevra la direction stratégique des opérations et, le 12 avril, le titre de général en chef des armées alliées.

confuse où les deux armées se mêlent sans se confondre, devine que les différends augmentent entre Foch et Pétain. La disparition de ses réserves angoisse le quartier général français. Il s'attend à une nouvelle offensive allemande en Champagne, rendue possible grâce à la masse de réserves supérieure dont dispose Ludendorff. Cette fois, Duchêne sera aux premières loges, il le sait.

Pour constituer un front uni des armées alliées, Foch suggère à Haig, le 18 avril 1918, d'envoyer à l'arrière des armées françaises de secteur les divisions britanniques décimées pour qu'elles s'y reconstituent, au lieu d'être supprimées faute de renforts en hommes venus d'Angleterre. Il choisit des bonnes divisions françaises d'accueil, à la 6ᵉ armée de Duchêne, dont il connaît la détermination et l'aptitude à tenir un front jusqu'au dernier homme. Il est prévu que le mouvement de quatre divisions britanniques sera « diligenté » à partir du 25 avril.

Haig a donné son accord pour le départ de la 50ᵉ division, mais il ne donne aucune information sur les trois autres. On croit savoir à l'état-major de Foch qu'il a l'intention de dissoudre quatre divisions. Il en a déjà supprimé cinq. Il laisse fondre son armée, faute de pouvoir recompléter les unités amputées par le feu.

A la conférence d'Abbeville, le 27 avril, le général anglais Wilson s'est élevé contre les mesures prises par Foch qui tendent « à disperser l'armée anglaise sur l'ensemble du front ». Le général Duchêne ne s'attend pas à recevoir en secteur d'autres troupes anglaises. Neuf divisions vont disparaître des lignes. Il ne garde provisoirement en pension que la 50ᵉ. Les autres divisions finiront par se rejoindre, jusqu'à constituer un corps d'armée qui sera engagé sur le plateau de Malmaison. Ses informateurs lui annoncent une offensive allemande en Champagne pour la fin du mois de mai. Il prend ses dispositions de défense. Il compte tenir sur la première position. Il sait que Foch le souhaite. Il ne tient pas compte des avis de Pétain.

Le 23 avril 1918, le général Duchêne persistait dans sa résolution d'arrêter l'ennemi sur la première ligne. Pétain, informé de ses intentions, avait alors écrit à Franchet d'Esperey pour lui demander de fixer avec précision la seconde ligne où la 6e armée devait, selon la directive n° 4, recevoir le gros de la bataille. Ainsi le général Duchêne ne pourrait se dérober sans désobéir.

Il se justifie d'avance aux yeux de son supérieur direct. Il explique à Franchet que la 6e armée occupe des positions très particulières. Comment abandonnerait-elle le plateau de Malmaison et le Chemin des Dames conquis au prix de si grands sacrifices ? La première position, dans ce secteur, n'est elle pas plus résistante que la seconde ?

Informé, Clemenceau demande une étude. Il n'accepte pas le refus d'obéissance du général Duchêne. Il veut être éclairé sur les conditions de mise en défense du terrain. On lui répond que la valeur de la première position est douteuse. « Elle est difficile à défendre. On a devant les yeux un masque : des bois touffus, des ravins difficiles et des défilés [1]. » L'étoile de Duchêne ne brille plus guère après cette appréciation, remise, il est vrai,

1. Voir Fonds Clemenceau aux archives du SHAT, carton n° 25.

au président du Conseil après la percée allemande du 27 mai.

Pétain lui-même s'est résigné. Il a laissé Duchêne donner ses ordres à ses deux corps d'armée, le 11e et le 30e. Le 1er corps colonial de Mazillier est chargé de tenir la place de Reims. Le général de Maud'huy, rétrogradé dans le commandement d'un corps d'armée, commande le 11e corps, et le général Chrétien, rescapé de Verdun, le 30e. Il n'est question, dans les instructions de Duchêne à ses généraux, que de « combattre sur la première position ». On peut trouver étrange ce découragement subit du général Pétain, qui laisse faire le chef de la 6e armée et ne lui demande pas de rectifier ses ordres. Pourquoi n'a-t-il pas les moyens de se faire obéir ?

Il n'est pas dans le tempérament de Pétain de relever un général d'armée à la veille d'une offensive. Peut-être n'est-il pas si sûr, après tout, d'avoir raison. La seule chance de Duchêne, accablé par des forces sept fois supérieures, est peut-être de retarder l'avance allemande sur les positions qu'il a lui-même choisies, et constamment renforcées, alors qu'il a négligé la seconde ligne qui ne lui inspirait pas confiance.

Pétain écrit lui-même qu'il a dû renoncer à prendre une mesure aussi grave qu'un limogeage à sec d'un général dont il a eu l'occasion, à Verdun, d'apprécier la maîtrise, alors que « l'offensive ennemie s'annonçait chaque jour plus imminente ». Il savait que ce remplacement d'un général, à la veille de la bataille, apparaîtrait comme une sanction, incompréhensible pour la troupe.

Il supposait aussi que Duchêne n'avait pas les moyens de tenir, qu'il ne disposait pas d'effectifs suffisants. Il n'avait que de faibles réserves à lui faire parvenir en cas d'attaque brusquée. Pourquoi l'empêcher de livrer bataille sur le terrain qu'il avait choisi, au nom d'une mystique de la directive n° 4 qui avait été déjà l'objet de dérogations. Que Duchêne s'arrange avec son secteur !

Ce protégé de Foch devrait faire la preuve que la résistance sur la première ligne pouvait trouver une justification. S'il se trompait, Pétain se trouverait conforté dans l'excellence de sa tactique. Plus Duchêne résisterait, plus il aurait le temps nécessaire pour déployer les troupes dans le cadre du « champ de bataille d'armée ». Les soldats de Duchêne se trouvaient ainsi doublement sacrifiés par les calculs d'apparence contradictoire des deux généraux.

Les ordres envoyés aux chefs de corps de la 6e armée étaient des plus fermes : toute idée de manœuvre défensive était exclue. Depuis quelques jours, les interrogatoires de prisonniers signalaient la mise en place de batteries lourdes et de *Minenwerfer* dans la région de Brimont-en-Champagne et de Craonne devant le Chemin des Dames. « Demain, peut-être, écrivait Duchêne le 23 mai, de son quartier général de Belleu à ses chefs de corps, la bataille sera sur nous. Que nos esprits soient tendus à la guerre ! »

Aucun bataillon, précisait-il, ne devrait « manœuvrer en retraite », aucun brigadier imaginer un recul par bonds. Les forces disponibles seraient amenées en seconde position, non pour s'y organiser, mais pour prêter main-forte, en fonction des besoins urgents, aux troupes combattant en première ligne. Celles-ci avaient reçu l'ordre de s'accrocher à tout prix. La 157e division, placée en seconde ligne, recevait à la veille de l'attaque l'ordre de monter au front derrière la 21e du général Duval. Le général Duchêne ferait sans nul doute « serrer ses réserves, sans les déployer ».

Les divisionnaires, affirme-t-il, ne doivent porter leur attention « que sur l'avant ». Comme l'hypothèse d'une retraite n'était malheureusement pas exclue, le général Duchêne avait prévu de faire sauter les ponts sur l'Aisne, pour que l'ennemi ne la franchisse impunément. Mais il ne voulait pas que les chefs d'unité en profitent pour trouver un refuge douillet au-delà de la rivière. Il avait réuni les commandants du génie. Ils avaient prévu dans les moindres détail le chargement des piliers en explosifs et les modalités des mises à feu.

Mais les ordres de Duchêne étaient, pour l'exécution, des plus stricts. Seul le général commandant le corps d'armée pouvait donner l'ordre de faire sauter les ponts. Encore devait-il obtenir la délégation de Duchêne lui-même. Rien n'était prévu en cas d'urgence, si les ordres demandés n'arrivaient pas à temps. Aucun officier du génie ne prendrait alors sur lui de faire sauter d'autorité le moindre pont, n'étant couvert par aucun ordre. Contrairement à son général d'armée, il n'oserait pas désobéir.

Ludendorff a donc massé ses divisions derrière le cours de l'Ailette, en vue du Chemin des Dames. Pour lui, l'opération n'est qu'une diversion, confiée au Kronprinz impérial, pour permettre au Kronprinz Rupprecht de Bavière de détruire l'armée anglaise définitivement dans les Flandres.

Les tirs d'interdiction de l'artillerie du général Piquemal, de la 6e armée, n'ont causé que peu de dégâts chez l'ennemi dont l'infanterie est embusquée. Le feu de plus de mille canons précède l'assaut allemand. Les obus lourds ébranlent toute la ligne du front sur une profondeur de douze kilomètres pendant deux heures quarante.

Ce bombardement d'une violence inouïe écrase les positions de la 6e armée. Le Chemin des Dames est entièrement recouvert d'une nappe de gaz. Pendant une heure pleine, les obus explosifs font sauter les abris bétonnés des Français et détruisent les champs de barbelés. Le ravin de Juvigny, en arrière du front, reçoit un obus lourd toutes les minutes.

Le bombardement lourd cesse à 3 h 40, remplacé par le tir des *Minenwerfer* et des canons de campagne du feu roulant. Les sections d'assaut ont été mises en place dans la nuit. Elles se sont cachées dans les abris et les creutes. La division de la garde prussienne a reçu des grenades et des cartouches, avec deux jours de vivres. Elle attaquera avant l'aube.

Les batteries françaises restent muettes. A 7 heures du matin, quatre cents pièces ont été déjà détruites ou capturées. Les Allemands évacuent 45 000 prisonniers. On compte seulement six cents fusils capables de riposter à la 61e division du général Modelon. On est sans nouvelles d'autres unités. L'offensive dite *Blücher* vient de réussir au-delà des espérances du quartier-maître général Ludendorff.

La ligne de résistance du général Duchêne est prise sans difficulté. A 16 heures, le grand quartier général appelle le PC de Franchet d'Esperey pour s'assurer que l'ordre a été donné de faire sauter les ponts sur l'Aisne. A quoi bon ! lui répond-on. Les Allemands lancent partout des ponts de bateaux et les Britanniques se sont retirés sur la ligne Concevreux-Cormicy-Cauroy, dans la panique et sans assurer leurs arrières. Les Alliés se sont réfugiés au-delà de l'Aisne, et devant la Vesle sur le plateau qui ne compte pas de ligne fortifiée d'arrêt susceptible d'empêcher la progression des *Stosstruppen*.

Duchêne, faute d'informations, ne peut apprécier la situation. Jusqu'à midi, il a encore cru possible de tenir sur la ligne du Chemin des Dames. Il a lancé ses réserves proches au nord de l'Aisne. Les Allemands les ont aussitôt décimées. Comment auraient-elles pu résister à une telle supériorité d'effectifs et d'armement ? La perte des réserves immédiates a laissé la position sans défenseurs. Ce désastre a été imputé à charge au général Duchêne, accusé plus tard et pour cette raison de faute professionnelle.

Il a demandé pendant la nuit de nouveaux renforts à Franchet d'Esperey et au major général Anthoine, assurant que l'attaque « était sérieuse ». Quelques bribes d'informations parviennent à son PC. Il apprend que les Anglais de la 50e division, qui se croyaient au repos sur le Chemin des Dames où ils cueillaient le muguet, doivent soudain combattre à un contre quatre.

A l'aube, il ne reçoit d'informations que par pigeons voyageurs. Il est averti par ce moyen aléatoire que des bribes de bataillon résistent à l'ouest du front dans la forêt de Pinon. Le général de la 61e division, Modelon, fait savoir qu'il a reçu un message d'un bataillon assiégé : « Tout le monde a fait son devoir, jusqu'à la dernière limite. Le bataillon a lutté pied à pied pendant onze heures. Il ne reste que le quart de l'effectif et plus de munitions pour les mitrailleuses. » Duchêne peut être satisfait : la troupe a su mourir sur place, et Modelon est un bon général.

Mais il n'a que des aperçus de la bataille. Comment pourrait-il être bien informé, alors que le divisionnaire Renouard, en première ligne, ignore lui-même la position de ses bataillons ? Sait-il qu'il a devant lui cinq divisions allemandes ? Il apprend que le village d'Œuilly risque l'encerclement, et que les ponts sur l'Aisne ne doivent pas sauter tout de suite, pour permettre l'évacuation des Français vers le sud. Ils ne sauteront pas et les Allemands passeront.

Enfin mis au courant, Duchêne ordonne à Maud'huy de repousser les Allemands et de faire sauter les ponts « partout où il le jugera nécessaire ». Faute de pouvoir se rendre compte lui-même, il délègue son autorité au général de corps d'armée. Depuis midi, les Allemands ont franchi l'Aisne et son canal latéral dans la région de Chavonne et de Vailly. Ils sont déjà retranchés sur la rive gauche, dans des positions difficiles à enlever.

La division Dauvin, déjà décimée par des assauts furieux, reçoit l'ordre de reprendre et de détruire à tout prix les ponts. Le général de Galabert est également chargé de tenir le pont d'Œuilly avec sa 157e division. On lui promet le secours rapide d'automitrailleuses. Elles n'arrivent pas. A midi, le pont est perdu. Le général signale qu'il n'a de liaison avec aucune artillerie.

Dauvin s'informe. Les sapeurs du génie ont disparu. Il n'a « ni le personnel ni la connaissance des dispositions lui permettant de faire sauter les ponts. D'ailleurs il est trop tard. Le seul moyen, dit-il, la destruction par l'artillerie ». Duchêne s'obstine, il veut reprendre les ponts. Des soldats exténués vont risquer la mort parce que les ordres n'ont pas été exécutés.

Les Allemands venaient de faire la preuve que le Chemin des Dames n'était pas à l'abri d'une attaque massive dûment soutenue par l'artillerie. Ils avaient fait perdre son pari au général Duchêne. L'ancien commandant de la 10e armée, aux ordres de Micheler et de Nivelle avait, il est vrai, des raisons de croire que la position était imprenable. Pour y avoir cru trop longtemps dans la matinée du 27 mai 1918, il avait oublié les ponts de l'Aisne.

Faute grave pour un général d'armée : il facilitait ainsi la progression de l'ennemi vers la Marne. L'Aisne une fois franchie, la Vesle, petite rivière parallèle située au sud, ne constituait pas un obstacle. D'autant que les berges des cours d'eau n'étaient pas suffisamment protégées et que les groupes d'assaut allemands progressaient sans être contrariés dans les bois touffus, encerclant les soldats ivres de fatigue, désarmant de nombreux prisonniers.

A Œuilly, à Vailly, à Chavonne, les équipes du génie avaient miné les piliers, en aval de Condé et jusqu'à Soissons, aux ordres du général Bouttiaux. Les corps d'armée, les divisions disposaient chacunes de groupes de sapeurs pourvus d'un matériel de sabotage et de destruction. Ces groupes s'occupaient de leurs secteurs. Chacun d'eux dépendait d'un général dont ils attendaient les ordres.

Ils avaient parfaitement accompli leur mission, repérant et préparant le terrain. Ils étaient prêts à placer les charges, à brancher les dispositifs de mise à feu. Les ponts pouvaient sauter. Les charges pouvaient être mises en place depuis le 26 mai au soir. Il suffisait de donner les ordres.

Un ordre verbal parvient au génie le 27 mai, à neuf heures du matin. L'attaque a commencé avant l'aube. A cette heure tardive, explique le général Bouttiaux, « l'avance de l'ennemi ne permettait déjà plus d'opérer le chargement ». L'ordre était donné à Vailly et Œuilly, des villages déjà entourés d'Allemands. Comment l'exécuter ? Le chargement des explosifs sous les arches du pont d'Œuilly avait bien commencé à 9 heures. Le génie exécutait les ordres. Mais il était gêné, explique le général Bouttiaux, « par une foule de soldats en retraite ». Les sapeurs avaient beaucoup de mal à placer leurs charges. Les fantassins de passage les insultaient, comme si les sapeurs voulaient tuer les camarades.

A 9 h 45, le travail n'est pas encore terminé. Et les Allemands surgissent de partout, en grand nombre. La tête de pont est encerclée, il faut quitter la position. Les artificiers se font tuer sur place, sans avoir pu mettre le feu. Ils ont commencé trop tard, et travaillé dans l'urgence. Les Allemands ont aussitôt retiré les charges d'explosifs.

Bouttiaux se désespère. Les mauvaises nouvelles vont plus vite que les bonnes, cette matinée du 27 mai : il apprend bientôt que les équipes spéciales, accueillies par des rafales de mitrailleuses, n'ont pu s'avancer sur le pont ouest d'Œuilly. L'équipe de Vailly n'est pas plus heureuse. Elle a été surprise par les groupes d'assaut allemands. Ces hommes spécialement entraînés s'infiltrent en contournant les lignes pour attaquer les compagnies françaises par-derrière. Le casque couvert de feuillages, le visage maculé de boue ou de suie, ils ne sont pas repérables par l'aviation et progressent, souvent en rampant, toujours à l'abri des fourrés. Ils se découvrent au dernier moment, et nettoient le terrain à la grenade, avant que les mitrailleuses légères portatives ne se mettent en batterie.

Le groupe de sapeurs de Vailly est victime d'une de ces attaques par surprise. Occupés à placer les charges, ils n'ont pas vu venir l'assaillant, ils ont été abattus avant de pouvoir faire sauter le pont. Dans les villages riverains tenus par les unités britanniques, les ponts sont restés intacts.

Ils n'ont sauté qu'en aval, de Condé à Soissons. Les artificiers ont travaillé jusqu'au dernier moment, accablés par les tirs ennemis. Les territoriaux les aidaient à mettre en place les charges. Ils avaient réussi. Mais les ordres étaient arrivés trop tard pour que l'opération ait pu se faire dans la sécurité. En amont d'Œuilly, les ponts avaient sauté dans de meilleures conditions.

Pourquoi les ordres avaient-ils été donné au dernier moment, mettant gravement les sapeurs en péril ? Pour assurer la retraite, ou pour permettre l'arrivée des renforts sur la ligne du Chemin des Dames ? Jusqu'à midi, le général Duchêne croyait encore la résistance possible sur cette ligne, et demandait des renforts pour reconquérir les positions perdues. Il n'était donc pas question pour lui de donner l'ordre de faire sauter les ponts. Sauf s'il recevait l'information que l'ennemi se présentait sur les rives. Mais les liaisons étaient hasardeuses, et le général commandant la 6e armée était le dernier informé. Les premiers ordres aux sapeurs du génie avaient été donnés par les généraux de corps d'armée ou de division, plus proches des conditions réelles du combat.

Duchêne ne voulait pas faire miner les ponts trop tôt, alors que les lignes françaises étaient assez loin à l'avant, pour qu'ils ne sautent pas sous un bombardement. Une voie précieuse d'acheminement du ravitaillement et des munitions en première ligne aurait alors été perdue. Les charges ne devaient être mises en place « que si l'on voyait l'ennemi s'avancer ». Il était donc toujours trop tard, car les équipes travaillaient sous le tir ennemi, inévitablement.

Informé des mauvais résultats, le général d'armée avait alors demandé à l'artillerie de bombarder les ponts restés intacts, tombés entre les mains des Allemands qui y précipitaient leurs premiers convois. Impossible ! répondaient les officiers d'artillerie. Les batteries en place avaient été prises ou neutralisées. Les canons envoyés en renfort n'étaient pas à même de tirer. On ne trouverait pas une pièce, au soir du 27 mai, pour détruire les ponts où les colonnes allemandes défilaient.

Sans doute auraient-elles franchi l'Aisne de toute manière, que les ponts fussent détruits ou non. Les Allemands ne s'attendaient pas à les trouver intacts. Ils disposaient de passerelles métalliques montées par éléments, faciles à jeter sur la rivière, pas très large. Que l'état-major de l'armée du général von Boehn pût donner l'ordre à ses éléments avancés de la franchir sans être inquiétés relevait d'un scénario-surprise, presque fantastique. A quoi pensaient donc les Français ?

Dans l'agitation fébrile du premier jour, ils ne songeaient qu'à sauver leurs unités accablées, et à prendre de nouvelles positions de résistance. Pour détruire les ponts restés intacts, seule l'aviation pouvait convenir. Pétain avait assez insisté pour obtenir des appareils de bombardement. Pourquoi ne pas les faire intervenir ?

L'aviation française n'avait pas encore l'avantage. Le 27 mai, les avions allemands tenaient le ciel. Les *Spad* les affrontaient courageusement, mais l'état-major avait pris l'habitude, dans l'urgence de l'offensive, de leur demander des missions au sol. Ils larguaient des caisses de munitions ou de simples messages aux troupes encerclées, ils étaient chargés d'éclairer l'artillerie en volant en rase-mottes.

Pétain avait envoyé plusieurs escadrilles de secours au général Duval, commandant l'aviation. Les avions décollaient en patrouilles serrées, avec l'ordre de lutter « jusqu'au bout de l'essence ». Ils affrontaient les avions allemands groupés en formations de dix à quinze appareils qui volaient à basse altitude et pouvaient mitrailler les troupes ennemies au sol. Les chasseurs allemands abattaient les avions de reconnaissance, faibles et lents, et incendiaient les ballons captifs.

Les avions de bombardement, lourds et peu maniables, redoutaient les attaques de chasseurs. Pour placer leurs bombes sur une cible aussi étroite qu'un pont, ils devaient effectuer plusieurs passages de repérage préalable. Le général Duval ne montrait aucun enthousiasme à sacrifier ses bombardiers pour faire sauter les ponts de l'Aisne. Personne, du reste, ne lui en avait donné l'ordre.

Le 27 mai au soir, le Chemin des Dames était perdu. Trois divisions envoyées immédiatement en renfort avaient été anéanties. Franchey d'Esperey, chef du groupe des armées du Centre, réveillé à 7 h 30, et informé du désastre, dépêchait quelques mitrailleuses montées sur automobiles, qui tentaient de retarder et de couvrir la retraite des Français. Pétain était aussitôt informé que le plateau de Californie était pris. Les Anglais se repliaient. Les Allemands poursuivaient leur attaque sur l'Aisne.

Pétain ne songeait qu'à renforcer ses « môles de résistance ». La 1re division d'infanterie était dirigée sur Soissons, la 13e sur Fisme. Le premier corps colonial était chargé, à la droite de l'armée Duchêne, de soutenir la solide division Naulin et de barrer la route de Reims. La plus grande inquiétude du général en chef était l'avance allemande sur Soissons, qui ouvrait la route de Paris. Il ne se souciait pas du Chemin des Dames.

En fin de journée seulement, Franchet d'Esperey était en mesure de renseigner le grand état-major : les Allemands avaient engagé vingt-cinq divisions marchant sur l'Ourcq, sur la Marne, *Los ! immer los !* Paris était de nouveau au bout du fusil pour les *Feldgrau*. Le front était percé, entre le 9e corps britannique et le 11e français. Pétain demandait à Degoutte, chef du 31e corps, de colmater la brèche sans savoir au juste à quelle hauteur la 13e division de pointe pourrait intervenir, en direction de Fismes où le général Franchet d'Esperey attendait les renforts. Engagée à la diable, la 13e division perd 2 000 hommes sans résultat. Le 11e corps a lâché. La situation est désespérée.

Les renforts sont programmés, de même que l'artillerie lourde, mais ils n'interviennent pas sur-le-champ. Le 28 mai, les seules troupes à opposer aux Allemands franchissant la Vesle sont réduites à huit divisions très éprouvées, contre vingt unités d'assaut. Le général Degoutte n'attend les premiers renforts que le 29 mai au matin. Il donne l'ordre à ses fantassins, une fois de plus, de s'accrocher au terrain, même sans renfort suffisant de canons. La rivière franchie, les Allemands prennent Fismes, s'avancent vers Reims. A la 13e division, les liens tactiques sont rompus, les unités isolées, l'artillerie a disparu. Peu habitués à marcher, les hommes ont perdu du temps dans la retraite. Les bataillons sont sans liaison. L'avance de la VIIe armée allemande semble irrésistible.

Les premiers renforts sont d'abord destinés à

défendre Reims. Pas question d'abandonner la place, d'où doit partir la contre-attaque, dans la stratégie prévue par Pétain. D'autant que, le 28 mai, il apprend la chute du deuxième môle de résistance, Soissons, où se fait tuer au feu le général des Vallières. Les régiments de la 151e division sont commandés par des capitaines. Mille survivants. Le général de Lardemelle a lâché le fort de Condé, permettant aux Allemands de pénétrer dans Soissons dont le pont de chemin de fer — un de plus — n'est pas détruit par défaut de la charge. Les avions allemands exterminent les colonnes en retraite qui encombrent le pont. Ils en libèrent ainsi le passage. Une bataille de rues féroce s'engage dans Soissons, conquise par l'ennemi le 29 mai.

Foch est sollicité de dépêcher la 10e armée de réserve pour renforcer le pôle en dehors de la ville. Le général Chrétien, du 30e corps, tente d'insuffler aux fantassins exténués l'esprit de Verdun : « Si chacun a conscience de l'heure qui sonne pour la patrie, leur dit-il, ils ne passeront pas. »

Dans son PC bombardé d'Oulchy-le-Château, Duchêne est informé du désastre. Pour retarder l'avance allemande, il ne dispose plus que d'unités débandées, de bribes de cavaliers, d'automitrailleuses perdues. Les officiers doivent se poster sur les routes pour arrêter les fuyards. Les cuirassiers du général de la Tour combattent à pied, du côté de Fère-en-Tardenois. Les Allemands s'emparent de la ville défendue par le général Zande, et menacent la Marne. La route de Paris leur est ouverte.

Pétain a perdu vingt et une divisions et demande les secours de Foch. Clemenceau, au matin du 28 mai, vient en automobile rencontrer Foch, puis Duchêne. Il apprend que Ludendorff, surpris de son succès, dirige vers la Marne quarante divisions.

Pour le président du Conseil, Foch est responsable du désastre, mais aussi Duchêne, partisan comme son chef de la résistance sur la première ligne. Foch doit se hâter de faire descendre la 10e armée et de satisfaire aux demandes de Pétain. C'est Clemenceau qui l'exige. La défaite redonne du brillant à l'étoile de Pétain.

Avant l'entrée en action de l'artillerie lourde, qui demande un délai de deux ou trois jours, l'infanterie doit, une fois encore, se sacrifier. D'abord, arrêter la déroute, pour repartir au feu le 31 mai. Micheler, dont la 5e armée est placée à la droite de Duchêne, toujours en place, donne des ordres pour faire « arrêter tout homme qui ne serait pas évacué régulièrement ». Il avertit les officiers qu'il n'est pas « admissible que des troupes quittent le terrain sans avoir lutté jusqu'à l'extrême limite de leurs forces ».

Duchêne, de son PC désormais installé au Trilport, sur la Marne, donne des ordres du même genre. Degoutte demande aux divisionnaires « de se faire tuer plutôt que de reculer » et exige « que les noms des officiers et gradés soient immédiatement communiqués au général commandant le corps d'armée, pour que des sanctions soient prises en cas de défaillances ».

Mais qui défend les ponts de la Marne ? demande soudain Franchet d'Esperey. Les Américains, dont les unités n'ont pas encore vu le feu ! Que les Français s'y précipitent. « Chaque officier responsable prendra ses dispositions pour faire sauter le pont, dès que le premier Boche mettra le pied dessus : au besoin, il se fera sauter avec. »

« Debout les héros de la Marne ! lance Pétain dans un ordre du jour, pour vos foyers, pour la France, en avant ! »

Rien ne peut en effet réussir sans le sacrifice de l'infanterie, comme en 1914, comme en 1916. Les Allemands déplient leurs *Schnellbrücken* [1] et franchissent la Marne à Jaulgonne. Puis ils orientent leur attaque vers le sud-ouest, sur Villers-Cotterêts. Il est temps de lancer la contre-offensive que prépare Duchêne, qui vient de toucher deux bataillons et des nouveaux chars légers Renault FT17.

Toujours en poste, il s'acharne à organiser la riposte, avec Micheler, Taufflieb qui garde la Marne et Degoutte. Mais il ne peut lancer à l'assaut, faute de renforts, qu'une division, vite ramenée. Pétain n'a pas de renforts disponibles. Ses ordres à Franchet d'Esperey sont de résister sur place. « Faites comprendre aux officiers généraux sous vos ordres que leur honneur militaire est engagé. N'hésitez pas à employer la violence s'il était nécessaire. »

Des généraux sont destitués sur le front des troupes, comme le divisionnaire de la 62e. Pour les colonels ou les commandants de bataillons, pas question de point d'honneur. Ils doivent obéir aux ordres stricts, sous peine de conseil de guerre : « Je n'admets qu'une manière de rétablir l'alignement, explique le major général Anthoine, c'est la contre-attaque immédiate dans le flanc des éléments ennemis aventurés. » Il faut éviter d'abord la débandade. C'est une affaire de survie. Dans ce cas, on ne doit pas plus ménager les officiers incapables que les hommes.

Duchêne n'est nullement sanctionné pour cause de défaite. Il est encore à la tête de son armée le

1. Des ponts métalliques démontables.

1er juin, quand la 10e de Maistre prend position à sa gauche, flanquée de la 3e d'Humbert. Il s'agit de contenir la poussée sur Villers-Cotterêts, où s'est déplacée la bataille. Il n'est plus question de discuter moindrement la directive n°4 de Pétain. Tout général en poste accepte d'organiser, s'il le peut, un champ de bataille d'armée, même Humbert et Duchêne, ces inconditionnels de Foch. D'autant qu'il faut à tout prix tenir les môles de résistance et la seconde ligne, quand elle existe.

Ainsi Duchêne est à son affaire. La 6e armée tient la ligne Bois-Belleau-Torcy-Bouresches et use d'abord ses unités dans une contre-attaque infructueuse. Le général comprend qu'il doit reculer pour trouver le temps de s'enterrer. « Il faut creuser immédiatement le sol », dit-il à ses généraux. « Je n'admettrais pas que, sous prétexte de fatigue des troupes, les chefs à tous les degrés n'imposent pas ce travail d'une importance capitale. »

Ce sont là les ordres de Pétain, que Duchêne applique à la lettre. Au début de l'année 1918 on reprochait au poilu des tranchées de ne plus savoir marcher. Voilà qu'on le blâme de ne plus vouloir creuser. Mesure-t-on son degré d'épuisement ? Dans son ordre du 4 juin 1918, Duchêne reproche aux combattants leur baisse de moral. Ils se croient sans cesse encerclés par l'ennemi : « Pourquoi cette nervosité qui fait voir du Boche partout ? »

L'ennemi est devant, et non derrière. « Il est honteux qu'une troupe, même faible, se replie devant ces infiltrations. » Même si les hommes sont épuisés, ils ne doivent consentir « ni repli ni recul ». Ils doivent « coller à l'ennemi et chercher toutes les occasions de lui tuer du monde ». Ils se reposeront après la victoire, qui ne fait pas de doute.

Duchêne ne peut savoir que le 5 juin, Ludendorff

a donné l'ordre d'arrêter l'offensive. Mais c'est pour attendre des renforts qui lui permettent d'attaquer en tenaille, avec les treize divisions de von Hutier, de part et d'autre de la forêt de Villers-Cotterêts.

Humbert doit recevoir de plein fouet cette attaque. Contrairement à Duchêne dans l'affaire du Chemin des Dames, et bien que partisan acharné des thèses de Foch, le général Humbert ne s'obstine pas sur la première position et suit les conseils de Fayolle sur le recul tactique. Il permet ainsi à l'artillerie lourde enfin mise en place, après plusieurs jours d'attente fébrile dans les lignes, d'écraser les assaillants.

L'état-major a pris la peine de rappeler aux commandants d'unités que « tout mouvement de repli sous prétexte d'alignement est formellement interdit ». Les seuls reculs tolérés sont ceux qui portent les troupes des premières lignes à dessein dégarnies sur les secondes positions bien préparées. Mais il n'est pas question de les abandonner. Fayolle donne des ordres pour arrêter les fuyards.

Un chef aussi soucieux de la vie de ses hommes que le général Cadoudal, mal vu de Joffre pour avoir refusé une attaque incertaine en 1915, a pris du galon sous Pétain. Devenu chef du 2e corps, à l'armée du général Humbert, il empêche ses unités de retraiter « sous prétexte d'alignement ». Le général commandant la 53e division, placé sous son autorité, doit rapporter son ordre. Son unité, lui dit Cadoudal, « doit tenir coûte que coûte ».

Dans la vallée du Matz, Mangin reprend un commandement sans être rétrogradé. Clemenceau le fait nommer par Pétain à la tête de la 10e armée. On compte sur lui pour un coup de boutoir, très appuyé par les chars, les avions, et les auto-canons. Mais Fayolle lui a donné l'ordre de « ménager l'infanterie ». Que lui dire d'autre, alors que les réserves manquent, que l'on cherche les divisions reposées à la loupe sur toute l'étendue du front ? L'assaut violent de Mangin n'aboutit pas, ses chars se font détruire, mais le quartier-maître général Ludendorff, surpris par cette impétuosité, renonce à son attaque sur la route de Compiègne.

La bataille de la Marne est gagnée. On célèbre la victoire, sans rappeler le sinistre épisode du Chemin des Dames. A-t-on oublié la faute du général Duchêne ? La 6e armée n'a pas participé au dernier coup de collier, mais elle a tenu honorablement son rôle et son chef s'est converti sur le tard à l'économie de guerre imposée par Pétain. Pourquoi le changer ? Le général en chef n'y songe pas.

Mais Clemenceau, le 4 juin 1918, a dû faire face à un assaut en règle des députés. Ils lui ont demandé des comptes sur le désastre de l'armée. La percée du Chemin des Dames et le déferlement des unités allemandes vers la Marne menaçait de nouveau Paris. Pourquoi la ligne de l'Aisne, réputée imprenable, avait-elle si facilement cédé ? Pourquoi le Chemin des Dames avait-il été enlevé en quelques heures ? Pourquoi les ponts sur la rivière n'avaient-ils pas sauté ? Pourquoi n'avait-on pas pris de sanctions contre les généraux ?

Sous le feu roulant des interpellations, le Tigre faisait face avec son agressivité coutumière. La Chambre voulait être domptée, rassurée, elle le serait :

« S'il faut, lui disait-il, pour obtenir l'approbation de certaines personnes qui jugent hâtivement, abandonner les chefs qui ont bien mérité de la patrie, c'est une lâcheté dont je suis incapable.

J'affirme que la victoire dépend de nous, à condition que les pouvoirs civils s'élèvent à la hauteur de leur devoir, parce qu'il n'y a pas besoin de faire cette recommandation aux soldats. »

S'il couvrait en bloc les deux états-majors de Foch et de Pétain, cela ne l'empêchait nullement de chercher des responsabilités au désastre. Il pensait que Foch, en donnant au compte-gouttes le renfort des divisions du Nord à Pétain avait commis la même erreur que Pétain en mars, quand il mesurait au plus juste l'aide apportée à Haig. « Il a été trop orienté vers le nord », disait-il de Foch. Et il avouait à Pétain : « Les circonstances sont telles qu'il ne faut pas qu'il n'y ait aucun souci pour le gouvernement. » Entendons, de souci politique, devant l'opposition angoissée des chambres. « Le général Foch ne peut pas être attaqué. » Il y va de l'alliance anglaise, si difficile à maintenir sur le terrain.

Et Clemenceau ajoute, assez cyniquement : « Comme il faut un responsable, la Chambre l'exige, ce sera le général Duchêne. »

Pétain proteste : « Je l'ai toujours couvert, dit-il. [Il n'en a que plus de mérite, car c'est un homme de Foch.] Je le couvre encore. Il n'est pas coupable. Prenez-moi !

— Nous sommes en guerre, tranche Clemenceau. Vous n'avez pas de choix à faire. Vous obéirez [1] ! »

La valse des généraux n'est pas pour l'immédiat. Ludendorff laisse peu de temps aux règlements de comptes. Pétain et Foch restent en place, même si le premier est décidément plus utile que le second, pour l'heure. Clemenceau les tient l'un et l'autre sous sa rude poigne.

1. Fonds Clemenceau, SHAT, carton 3.

Après l'affaire du Matz, les limogeages sont annoncés. Le major général Anthoine est remplacé par Buat, un homme de Foch, dans un souci d'équilibre. Berthelot, retour de Roumanie et ancien collaborateur direct de Joffre, prend la 5e armée de Degoutte. Celui-ci est nommé à la tête de la 6e armée à la place de Duchêne, définitivement écarté de tout commandement.

Clemenceau a décidé, pour apaiser la Chambre des députés, de nommer une commission d'enquête sur le désastre du 27 mai au Chemin des Dames. Cela signifie la mise en question du général Duchêne, et peut être son jugement. L'affaire se rapproche de la conclusion de l'offensive malheureuse du général Nivelle.

Pour la première fois depuis le début de la guerre, l'armée française avait subi une défaite. Cela demandait réparation. Duchêne servirait de bouc émissaire, comme l'avait avoué sans fard Clemenceau. Dans son esprit, le vrai coupable était Foch, qui avait encouragé les généraux à refuser le principe de Pétain de l'organisation, à l'arrière de la première ligne, d'un champ de bataille d'armée. Le développement de la bataille défensive avait inexorablement donné raison à Pétain.

La pétulance du président du Conseil, foncièrement hostile aux chefs de l'armée et méfiant devant leurs intitiatives devait sauver Duchêne. Clemenceau se souvenait de l'enquête sur Nivelle, confiée à des généraux, qui s'était traduite par une approbation, sans aucune remise en question du plan désastreux d'offensive, de la conduite du général en chef qui n'avait prétendument commis aucune faute. Jugé par ses pairs, un général était forcément absous.

Il fallait introduire des civils dans la commission

présidée par le général Guillaumat, dont chacun louait l'objectivité. Pourquoi pas deux représentants compétents des commissions de l'armée, celle de la Chambre et celle du Sénat ? Clemenceau était prêt à cette ouverture pour donner satisfaction à l'opinion parlementaire. Il voulait obtenir une condamnation du général Duchêne, le jeter en pâture, avec l'affaire des ponts abandonnés, pour couvrir les deux états-majors. Mais Poincaré veillait.

Le président de la République n'avait nullement l'intention d'immiscer des parlementaires dans une enquête portant sur les responsabilités d'un général. C'était ouvrir une brèche géante à tous ceux qui critiquaient, et jadis Clemenceau le premier, les opérations militaires et les généraux commandant les armées. Le civil ne devait pas jeter un œil sur leurs opérations.

Leygues, Loucheur, ministres de Clemenceau, soutenaient Poincaré. Il savait que les généraux Pétain et Fayolle ne voulaient pas qu'on touche à un cheveu de la tête du général Duchêne. Pour eux aussi, c'était une question de principe : le pouvoir civil n'avait pas à condamner des généraux malheureux à la guerre, ni intervenir dans leurs méthodes. Après tout Pétain lui-même, très au courant des dispositions d'esprit du général Duchêne, avait couvert ses ordres. S'il le lâchait, il perdrait toute autorité sur les autres généraux.

Condamner un chef malheureux était retirer aux autres toute initiative au combat. Pour Leygues et Loucheur, le projet de Clemenceau impliquait un empiétement sur les prérogatives du gouvernement. Il ne pouvait ainsi bafouer le principe de la séparation des pouvoirs. La justice militaire devait avoir aussi son indépendance et ne pas dépendre du pouvoir civil pour la constitution d'une commission d'enquête qui ressemblait singulièrement à un tribunal politique. Pour des parlementaires aussi modérés que Leygues et Loucheur, cet empiétement était une menace pour les libertés. Il n'était pas conforme aux usages de la République.

Clemenceau passerait-il outre cette opposition larvée, qui n'osait pas s'avouer parce que le Parlement voulait des têtes ? Il défendait l'idée qu'une juridiction pénale (et non une simple commission de professionnels de l'état-major) était indispensable pour juger les coupables au pénal. Poincaré protestait : faire juger des militaires par des civils était offrir une prime à l'incompétence.

« C'est le régime, ripostait Clemenceau. La Chambre, elle aussi est composée d'incompétences, et elle gouverne [1] ! »

C'est dire le mépris du chef de gouvernement pour l'assemblée élue en mai 1914 qu'il dominait avec arrogance. Que lui importaient les députés et les généraux ! Comme il l'avait dit à la tribune : « Je fais la guerre ! » Il entendait bien la faire seul. Pour calmer les incompétents de la Chambre, il avait choisi de leur livrer l'incompétence du général Duchêne.

« Je ne suis pas un révolutionnaire, ajoutait-il sans doute pour calmer Poincaré. Je passe pour être plutôt hostile à une révolution, et pour être très énergique dans les droits du gouvernement. »

Il avait fait, en effet, ses preuves en 1906 dans le combat social et il ne concédait aucun pouvoir au président de la République Poincaré dans la

1. Voir Poincaré, *Mémoires, 1918, op.cit.*

conduite des affaires publiques, appliquant à la lettre la Constitution.

Pourquoi donc devait-il consentir à cette mutilation du pouvoir exécutif, inévitable après l'entrée de parlementaires dans une instance judiciaire ? Le gouvernement pouvait, à la limite, intervenir dans la nomination (il l'avait fait pour Joffre et Nivelle) ou dans la destitution des généraux. Mais il n'avait certainement pas le droit de les traduire devant une cour de justice en introduisant dans le jury des représentants du pouvoir législatif.

Mais Clemenceau, au-delà des frontières politiciennes, pense sans doute à la remise en question globale, dans le monde en guerre, du pouvoir des généraux. Le président américain Wilson, son « associé » dans la guerre, ne cesse de demander la mise en jugement des généraux allemands. Les chefs de l'armée du tsar ont été destitués et jugés par les soviets. Si l'on veut éviter de s'exposer à ces extrémités qui peuvent devenir menaçantes, après les désastres de la guerre, il faut suivre le mouvement, lui faire des concessions. Il ne faut pas laisser dire que les généraux seuls échappent à la justice.

« Je suis comme vous tous, dit Clemenceau au Conseil des ministres, un idéaliste et un démocrate. Eh bien ! Il faut s'attendre à de grands changements dans la vie des peuples ! »

Surtout quand ils accusent des millions de morts à la guerre. La moindre des prudences est de concéder aux représentants du peuple le droit de demander des comptes sur les erreurs des généraux. Doivent-ils, le cas échéant, comparaître devant des institutions libres et démocratiques, où devant les soldats constitués comme en Russie et peut-être demain en Allemagne, en soviets ? Le

Parlement a exigé une enquête. Clemenceau lui offre plus encore : une participation au jugement d'un général.

Il restreint aussitôt la portée de son initiative, pour ne pas effaroucher les ministres. Les parlementaires des commissions spécialisées ne sont pas des Fouquier-Tinville et leur compétence est reconnue, assure-t-il. Ils vont au front, « voient tout », et sont comme des « contrôleurs militaires ». Sans doute sont-ils plus aptes à apprécier les erreurs et les fautes des généraux que des magistrats ordinaires, des conseillers d'État par exemple. Si l'on se lançait dans l'idée de recruter des magistrats civils, « autant vaudrait prendre des notaires ou des marchands de denrées », gronde Clemenceau. Si l'on prend, au lieu de ces irresponsables, des parlementaires compétents, on se garde de toute tentation d'impartialité. Au reste la présidence du général de Guillaumat suffit à rassurer : il évitera toute déviance politique, et même toute querelle de clan.

Le projet semble très vite enterré. Les généraux viennent se plaindre au cabinet de Poincaré. Pétain proteste contre cette « loi d'exception inadmissible ». Poincaré laisse faire. Il pense que le Sénat, gardien des institutions, fera le nécessaire pour faire capoter le projet. Il n'est plus question dans cette affaire devenue soudain intempestive de la personne du général Duchêne, mais des rapports de pouvoir entre civils et militaires.

La commission des lois de la Chambre intervient la première, pour donner raison à Poincaré : deux conseillers à la Cour de cassation siégeront à la place des parlementaires. La séparation des pouvoirs est ainsi garantie : les élus du peuple n'auront pas à juger des militaires. Ils seront livrés à des magistrats civils.

Mais comment condamneraient-ils le général Duchêne, comment pourraient-ils même prétendre à le faire comparaître en justice, alors que quatre rapports en sa faveur sont bientôt rédigés : deux de la main du général Pétain, des 13 et 30 juin 1918, et deux signés par le général Foch, du 25 juin et du 3 juillet [1]. Comment les deux généraux en chef auraient-ils chargé le général Duchêne ? Comment des magistrats de la Cour de cassation auraient-ils passé outre les conclusions des deux généraux vainqueurs ?

L'unique tentative jamais engagée par le pouvoir civil pour obtenir la mise en jugement d'un général tournait court. Les généraux pouvaient valser, ils ne seraient jamais condamnés.

---

1. Voir SHAT, Fonds Clemenceau, dossier A (commission d'enquête), carton 165.

Le pouvoir des généraux

Ainsi la guerre accroît les inégalités que la société civile entretient dans le lacis savant de ses institutions. Un général, au regard de la troupe, peut être renvoyé comme incapable, mais ne peut être jugé que s'il tourne casaque et se rend à l'ennemi. Il ne peut passer en jugement pour sa mauvaise fortune, ni même pour ses fautes de commandement. Le droit à l'erreur lui est reconnu, il ne peut être sanctionné que par le renvoi : au pire le retour à la vie civile, au mieux le poste de l'arrière.

Il en est ainsi des officiers supérieurs, jusqu'aux grades élevés. On peut fusiller un lieutenant après conseil de guerre ou cour martiale, jamais un colonel. Le « père du régiment » a aussi droit à l'erreur. Les généraux peuvent destituer leurs colonels incapables ou simplement indécis sur le champ de bataille. Ils ont théoriquement le droit de les faire passer en jugement, mais ne l'exercent pas. Comme si les plus hauts grades avaient un privilège de juridiction : n'être jamais jugés, après enquête, que par leurs pairs.

On objecte que cet usage n'avait pas cours dans le passé. On a jugé au moins un général du second Empire, Bazaine : c'était pour trahison, non pour incapacité. Il n'avait pas envoyé ses troupes au carnage. Il les avait au contraire protégées dans le camp retranché de Metz, où il n'avait pour ainsi dire pas livré bataille. Le procès fait à Bazaine au temps de Mac-Mahon était politique : on condamnait en lui la guerre de l'Empire. On le rendait responsable, par sa lâcheté, ou ses calculs personnels, de la perte de l'Alsace et de la Lorraine.

Aucun procès de ce genre ne pouvait être intenté aux généraux de la Grande Guerre. Ils étaient tous fidèles à la République et obéissaient aux ordres du chef de l'état-major désigné par le pouvoir politique : Joffre, nommé par Caillaux ; Nivelle, par Briand ; Pétain, par Paul Painlevé. Caillaux, Briand, Painlevé, trois hommes de gauche ou venus de la gauche. On pouvait seulement leur reprocher d'avoir plus ou moins exécuté les directives imposées, d'avoir commis des erreurs, des fautes d'appréciation, de n'avoir pas bien adapté les ordres aux situations. Des comités d'experts suffisaient pour établir les responsabilités de ce genre. On fusillait un général pour trahison, pas pour aveuglement.

Ceux qui avaient rendu les places, de Maubeuge à Douaumont, n'avaient nullement été soupçonnés de complaisance envers l'ennemi. Le procès du général Tournier, une simple enquête militaire sur les conditions de sa reddition, s'était terminé par une absolution. Il était précisé que le général n'avait plus les moyens de résister, qu'il avait été contraint de se rendre. Quant aux forts de Verdun, on se gardait de chercher des poux dans la tête des responsables directs, les généraux Herr et Chrétien, du fait que Joffre lui-même avait commandé le désarmement des ouvrages, contre tout bon sens. On montait en épingle la résistance acharnée du commandant Raynal au fort de Vaux, qui avait dû aussi se rendre, avec les honneurs militaires. Dans l'imagerie de la guerre, Raynal était rapproché du colonel Denfert-Rochereau, le héros de Belfort en 1870. Grâce à Raynal, l'honneur de la République était sauf.

Il pouvait y avoir refus d'obéir aux ordres dans des cas assez nombreux : Mangin sous Nivelle, Duchêne sous Pétain. Mais ces généraux avaient des excuses. Ils pouvaient penser que les ordres, transmis avec lenteur, étaient inadaptés à l'évolution rapide du front. Ils soutenaient qu'ils croyaient avoir raison contre l'état-major. Ils accusaient les intermédiaires mal renseignés, les officiers de la carte et de l'intrigue.

Ils pouvaient plaider leur cause, en invoquant des raisons de tactique. Ils n'étaient jamais sans arguments, surtout quand ils passaient pour des jusqu'au-boutistes de l'offensive ou de la résistance. La première phase de la guerre leur donnait raison : on n'avait jamais vu un général déboulonné pour son ardeur excessive, mais bien pour sa tiédeur et ses hésitations. L'état-major avait longtemps jugé sévèrement et limogé sans égard les seuls généraux qui eussent fait preuve de faiblesse dans l'exécution des ordres.

Ou ceux qui refusaient de faire monter leurs unités en ligne, pour cause de pertes excessives. L'idée de ménager à tout prix les hommes n'était venue que sur le tard, après les cent jours d'hécatombe de l'année 1915. Les généraux, souvent nés sous le second Empire, parfois sous la monarchie de Juillet, n'avaient certes pas la « culture » du « zéro mort ». S'ils se refusaient à partir à l'assaut de positions imprenables, ils étaient jugés sévèrement, le cas échéant destitués. Mac-Mahon avait-il ménagé ses hommes en écrivant la page de gloire de la tour de Malakoff ? Il en allait de même dans la bataille de résistance de Verdun. Un Duchêne s'était fait apprécier de Pétain pour s'être accroché au terrain « sans esprit de recul ». Quand le dernier des généraux en chef de la guerre avait, faute d'effectifs, développé sa théorie de champ de bataille d'armée, de recul sur des positions préparées à l'avance, cela n'impliquait nullement que l'on autorisait les généraux à reculer sans ordres. Jamais on n'avait autant limogé de généraux et de colonels que pendant les dernières batailles de 1918. Le retour à la guerre de mouvement s'était traduit par des flottements, et les généraux reculaient, non pas sur ordre, mais pour tenir l'alignement, ce qui leur fut interdit avec véhémence. On en revint très vite, même à l'état-major du général Pétain, à la défense acharnée du moindre pouce de territoire. On n'a jamais vraiment cessé d'exiger des généraux qu'ils ne cèdent pas

Les pertes élevées de la campagne de 1918 (350 000 soldats) montrent que les généraux, quelle que fût leur doctrine, n'ont jamais réussi à ménager leurs hommes. La fournée des limogeages de 1914 était largement due aux fautes tactiques et non à l'incapacité des chefs qui envoyaient leurs troupes à l'assaut sans protection d'artillerie. Étaient-ils jamais condamnés pour massacres sans justification ? Nullement. On leur reprochait des erreurs de manœuvre, des ordres et contrordres inopportuns. Ils pouvaient perdre du monde, à condition d'exécuter strictement les ordres du plan d'offensive. Pour les suivre, beaucoup de généraux ont sacrifié leurs unités. On ne leur en aurait pas tenu grief, s'ils avaient réussi. On ne leur en aurait su aucun gré, s'ils avaient échoué. Le critère n'était pas dans l'économie des effectifs, mais dans leur emploi intensif. Ainsi l'exigeait la mystique de l'offensive, en 1915 comme en 1914. Le bon général était alors un « entraîneur d'hommes », dans le style des guerres de la Révolution et de l'Empire, comme si le feu ne tuait pas. Quand il apparut devant l'opinion comme un « tueur d'hommes » ou un « buveur de sang », une certaine réserve se manifesta parmi les galonnés, et même une résistance aux ordres des officiers de Chantilly. Les sanctions commencèrent à frapper, non ceux qui avaient refusé d'attaquer, mais ceux qui ne s'étaient pas donné les moyens de réussir par une coordination complète des armes pendant l'attaque. On eut des égards pour les généraux qui pouvaient démontrer qu'une attaque prévue était mal montée, et qu'elle ne pouvait réussir. On décidait de nommer aux postes supérieurs en priorité, non ceux qui avaient refusé l'assaut au regard des pertes, mais bien ceux qui, sans se dérober au risque de casse, avaient réussi au moindre coût à s'emparer des positions : ainsi Pétain dans la bataille de l'Artois.

Quand on ne put trouver comme renforts que des soldats de dix-neuf ans à peine instruits, ou des réformés provisoires rappelés au service, le modèle du bon général (et du mauvais) ne subit que peu de modifications : le passage à la guerre défensive de Verdun exigeait des généraux en poste une vigilance acharnée pour condamner tout recul, parce qu'il n'y avait alors d'autre parti à prendre. Ceux qui se rendaient coupables de faiblesse, ou toléraient la faiblesse dans leurs rangs étaient éliminés.

Il n'était pas question de privilégier le critère de l'économie des moyens, car l'usure des divisions d'infanterie, au rythme de deux unités pour trois jours de combats ininterrompus était la seule parade imaginée à la déficience longtemps scandaleuse de l'artillerie. Le « sacrifice » des poilus devait être consenti, sous peine de défaite et d'invasion, et pour les généraux, de limogeage instantané. On pouvait imputer cette situation aux erreurs de l'état-major et à Joffre lui-même, mais cette charge ne pouvait être instruite que par des politiques. A la fin de 1916, quand, au prix de savantes manœuvres, la statue de Joffre fut déboulonnée par Briand, la responsabilité du général en chef dans les échecs de 1915 ne fut nullement remise en question.

On ne pouvait sanctionner le vainqueur de la Marne. Lui reprocherait-on les pertes lourdes des marais de Saint-Gond ou de la bataille de l'Ourcq, où pourtant l'artillerie avait aussi fait défaut ? Il aurait eu beau jeu de plaider qu'on critiquait, pour cause de défaite, des opérations qu'on avait louées, en septembre 1914 pour cause de victoire.

On se souvient de son mot célèbre : « Je ne sais pas qui a gagné la bataille de la Marne, mais je sais bien qui l'aurait perdue. » Mot cruel : dans les deux cas, le général risquait la vie des poilus. La défaite ne frappait que sa réputation, sa compétence, son image. On ne pouvait en rien la lui imputer à crime. Le bon général restait celui qui avait accepté le combat : contre Bazaine, ménager de ses troupes, mais capitulard, Mac-Mahon, le vaincu glorieux de Reichshoffen et de Froeschwiller, dont l'armée avait été décimée.

Quand il devint clair que le général en chef ne pouvait assurer la victoire, même s'il en avait les moyens, le réveil de conscience du soldat mit en question, non le commandement, ou la guerre, mais ses méthodes, dans le déferlement des mutineries. Les mutins, souvent héroïques et bardés de médailles, osaient agresser des chefs incapables ou provocateurs, qui persistaient, contre tout bon sens, à tenir encore le discours du sacrifice à des poilus qui s'étaient fait tuer pour rien : on leur avait demandé, en avril 1917, un dernier coup de collier pour la victoire. Ils l'avaient une fois de plus consenti, en pure perte. Le front ennemi n'était pas percé, parce qu'il était infranchissable. Aucun général ne fut sanctionné comme responsable de la mutinerie de ses troupes. Pétain donna au contraire l'exemple de Taufflieb, comme d'un général qui avait osé braver les mutins.

Quand il devint clair que les Allemands, à l'encontre des Alliés, pouvaient en 1918 percer le front défensif à leur volonté, on pouvait à bon droit mettre en question les généraux divisés sur la doctrine de défense, mal renseignés sur les directions d'attaque de l'ennemi, perdant du temps dans des querelles d'école, au lieu de renforcer les positions pour les rendre, à la manière de Hindenburg, inexpugnables. Ils pouvaient invoquer pour leur défense que le front allié n'était pas uni comme celui de l'ennemi et que ses liaisons étaient difficiles, parfois problématiques.

Le nouveau sacrifice exigé de l'infanterie pendant les offensives de Ludendorff en 1918 n'avait pas pour cause la faiblesse du commandement, mais ses difficultés. Les poilus devaient tenir à n'importe quel prix, si faibles que fussent les effectifs, parce que les généraux, incertains sur les directions d'attaque de l'ennemi, et pénalisés par les préoccupations différentes — voire opposées — des chefs français et britanniques avaient du mal à faire descendre en temps voulu et à hauteur opportune les trains de l'artillerie lourde, du nord au sud du front ou vice versa. Les deux ou trois jours de délais nécessaires devaient être compensés par les pertes les plus lourdes dans les divisions d'infanterie. De nouveau, le mauvais général était celui qui tolérait un recul, et le bon était moins que jamais celui qui refusait de sacrifier la vie de ses soldats.

La succession des limogeages n'avait pour cause, sur le terrain, que ces abandons et ces reculs. Le général dont les troupes s'étaient mutinées ou rendues à l'ennemi (le 111e régiment d'infanterie à Verdun) n'était jamais considéré comme coupable du découragement de ses troupes. L'état-major savait bien qu'elles n'avaient que trop de motifs de mécontentement, et qu'au demeurant elles étaient de valeur très inégales.

Le général n'était sanctionné par l'état-major que s'il n'avait pas su montrer, dans la répression, toute l'ardeur nécessaire. Ainsi Mordacq, général de division en 1917, et futur conseiller militaire de Clemenceau, n'avait-il été nullement pénalisé par les « troubles du moral » de son unité. Le mauvais général n'était pas celui qui avait subi une mutinerie de ses troupes, mais celui qui ne l'avait pas dominée, et au moindre coût réprimée. La première qualité exigée d'un chef était le respect de la discipline et de la hiérarchie qu'il devait à la fois subir lui-même et imposer à ses subordonnés. Pour le commandement, l'objectif majeur en cas de mutinerie était évidemment le rétablissement immédiat de l'ordre.

Les critères de qualité exigés des généraux se

perfectionnaient quand la guerre devenait plus exigeante en prévisions et en organisation des relèves, de la formation et des déplacements d'unités. Ainsi s'expliquaient les promotions rapides faites par Nivelle, qui n'avaient pas que des critères psychologiques.

Pour le général technicien, le bon chef était celui qui assurait sur le terrain la synchronisation des armes à l'allemande : Mangin à Verdun. Ce bouillant général n'était pas seulement connu comme un fonceur impénitent, mais surtout comme un habile manœuvrier de l'artillerie en premier rang, au secours de l'infanterie d'assaut, comme un maniaque de l'offensive interarmes, bientôt avec les chars, alors appelés artillerie d'assaut. Le mauvais général était, aux yeux de Nivelle, celui qui s'obstinait à attaquer sans s'être assuré de toutes les garanties, en employant les méthodes anciennes, en ne se souciant pas des relations constantes des fantassins avec les batteries, ou des batteries avec la reconnaissance aérienne. Le commandement avait été rénové selon ces critères.

Fayolle, Foch, Pétain feraient de nouveau la chasse, en fonction des résultats obtenus, aux incompétents et aux hésitants. Les limogeages de 1918 affectaient tous ceux qui n'avaient pas réussi à imposer la résistance à outrance, à s'adapter à la nouvelle technique de l'infiltration des troupes d'assaut allemandes.

Une fois de plus, le bon chef était celui qui se faisait tuer lui-même plutôt que de reculer : des Vallières à Soissons, mort au combat. Zande à La Ferté-Milon, récupérant des troupes disparates pour dresser un barrage provisoire. Ou Brécard le bon cavalier, alignant à pied ses cuirassiers de la

1re division, expédiant ses automitrailleuses sur les points dégarnis de troupes, pour arrêter l'ennemi, ne serait-ce qu'une heure. Le mauvais, celui qui se contentait de faire respecter l'alignement, pour ne pas être surpris. Celui-là perdait du temps, au lieu d'en gagner. Il faisait tuer ses hommes pour rien, au lieu de les utiliser au mieux de la résistance sur le terrain.

Car on redécouvrait le terrain, mais dans une optique différente. Il n'était plus question de construire des forteresses, mais de faire face sur des points d'appui provisoires, de gagner du temps en attendant la mise en œuvre des gros moyens.

Le bon général, dans cette nouvelle optique, demandait l'intervention de l'aviation, entraînait les hommes derrière les chars, recommandait les attaques par petits paquets protégées par l'artillerie légère lancée en appui constant. L'oiseau rare capable de se plier à ces conditions nouvelles de guerre était aussitôt promu, comme Degoutte, ou Mangin, réintégré à la tête d'une armée. On ne lui tenait pas grief d'avoir accusé des pertes très sévères à l'assaut du Chemin des Dames, engagé sans soutien suffisant du feu et de l'aviation. L'état-major de Pétain et surtout celui de Foch se souvenaient seulement de ses qualités manœuvrières.

Il ne serait jamais question, du début à la fin de la guerre, de condamner ou de blâmer un général pour avoir subi des pertes, mais seulement parce qu'il avait commis des fautes. Les seules qui fussent des crimes étaient la désobéissance et la trahison.

Les généraux se jugeaient entre eux, ne tolérant aucune intrusion du pouvoir civil. Joffre avait dû son poste de généralissime au fait qu'il avait accepté — contrairement au général Pau — que le ministre nommât les chefs des armées, sur ses propositions et avec son accord. Il avait ensuite refusé avec fermeté de faire traduire en conseil de guerre, condamner et au besoin fusiller, les généraux coupables d'abandon ou d'erreur, comme le lui demandait en août 1914 le ministre de la Guerre Messimy.

Il avait alors défendu les officiers à étoiles, en indiquant les limites de la sanction : une faute n'était pas un crime, et la défaite n'impliquait pas la comparution du coupable devant un tribunal révolutionnaire. Il suffisait de limoger les mauvais chefs, de les rayer du tableau, au besoin des cadres. Joffre ne s'en était pas privé. Il avait, sur ce point, reçu le soutien et l'approbation des politiques.

Limogeages et nominations ne dépendaient que de lui seul. La victoire de la Marne avait consacré sa prééminence. Mais les échecs de 1915 l'avaient contraint à accepter l'intrusion du pouvoir politique dans les nominations, en particulier sous les ministères de Gallieni et de Lyautey, évidemment destinés à limiter ou à contrôler son pouvoir.

Il avait ainsi délégué à Foch la responsabilité de l'affaire de la Somme en 1916, parce que la conduite de la bataille avec les Britanniques exigeait un chef capable de s'entendre avec sir Douglas Haig. Il avait aussi accepté, sous la pression du milieu politique, de retirer Pétain de l'armée de Verdun pour lui substituer Nivelle. Il avait enfin dû abdiquer de ses responsabilités de l'armée d'Orient, à la demande de Briand, et supporter la nomination à la tête du corps expéditionnaire du général Sarrail, qui n'avait plus, à tort ou à raison, sa confiance.

Ainsi les politiques avaient réussi à fléchir Joffre. Ils seraient bientôt en mesure de fermer Chantilly et d'imposer à Nivelle une mise en question de son plan offensif devant les autres généraux de l'armée.

Paul Painlevé intervenait jusque dans les décisions militaires, et entretenait contre Nivelle un clan de contestataires qui devait plus tard accepter le pouvoir de Pétain. Nivelle, à la fin de son consulat, était contraint de limoger lui-même son collaborateur direct, Mangin, s'il voulait qu'on lui lâche la destitution de Mazel, qui l'avait, croyait-il, trahi. Il devait encore tenir compte de l'opposition de Pétain, qui avait autorité sur la 4e armée du général Anthoine attaquant en Champagne. Nivelle ne conservait donc de pouvoirs que sur les généraux de rang inférieur. Les proconsuls à la tête des armées en référaient contre lui aux politiques, même un Micheler.

Pétain pourrait-il se garder de cette ingérence du pouvoir, à vrai dire justifiée par l'envergure des opérations internationales, qui exigeaient des consultations fréquentes avec les alliés italiens, britanniques, et bientôt américains ? La direction de la guerre s'était politisée, jusqu'à créer des structures mixtes de consultation et de décision, comme le Conseil supérieur de guerre interallié. Les généraux incapables d'établir des liaisons avec leurs homologues étrangers en référaient au pouvoir, qui organisait des rencontres au sommet : ainsi le commandement interallié de Foch était-il sorti de la rencontre de Doullens. Aucun général français, en 1918, n'aurait pu s'estimer souverain dans ses décisions stratégiques. Il avait besoin, pour diriger la guerre, de l'appui constant des politiques.

Ainsi Clemenceau avait pu jouer le rôle d'arbitre et d'animateur des deux commandements rivaux de Foch et de Pétain. Il assumait entièrement la direction de la guerre, comme Lloyd George en Grande-Bretagne ou le président Wilson aux États-Unis. Alors qu'en Allemagne les généraux Hindenburg et Ludendorff instauraient une sorte de dictature militaire de l'état-major, en France et dans les pays alliés, le pouvoir politique prenait en main la direction de la guerre, imposant ses vues aux militaires. Foch ne pouvait accomplir sa mission sans le recours constant à Clemenceau, essentiel pour éviter les frictions entre alliés. Pétain ne pouvait éviter l'intervention du président du Conseil, parce que ses décisions militaires, dans les opérations défensives de 1918, impliquaient des choix de nature politique.

En France, le pouvoir était exercé par l'homme politique le plus connu pour son autorité, au point qu'on lui reprocherait d'établir une dictature de l'exécutif sur les assemblées, d'ignorer l'Élysée et de mener la guerre seul. En fait, Clemenceau consultait Poincaré sur les changements de généraux qu'il comptait imposer à Pétain, conseillé en cela par Mordacq.

Il réussirait ainsi à faire limoger plusieurs généraux mal considérés du pouvoir, à faire nommer à la tête d'une armée Mangin, à charger Duchêne de tous les péchés pour éviter de remettre en question le double commandement des généraux Pétain et Foch, source de troubles et d'intrigues dans le plus haut personnel de l'armée.

Il interviendrait constamment dans les opérations militaires, jusqu'à visiter les généraux à leurs PC aux heures des difficultés, pour se faire exposer les solutions et en imposer l'application. Ainsi la responsabilité des généraux était-elle assumée directement par les hommes politiques, à charge pour eux de les défendre devant les comités secrets de la Chambre et du Sénat. Le très grand poids des pertes rendait indispensables les justifications devant les assemblées.

Comment le pouvoir aurait-il pu obtenir des sanctions contre les généraux, alors que le régime venait de donner à l'armée, avec Clemenceau le Sauveur, son meilleur protecteur ? La force et l'indépendance de Joffre venait de la précarité des gouvernements. Mais ce privilège de pouvoir commander seul était aussi sa faiblesse : il était à la merci des intrigues et des cabales. L'état-major et le général en chef n'avaient plus de difficulté avec Clemenceau : restaurant l'autorité de l'État, le Tigre couvrait les militaires qu'il coiffait. Il ne pouvait plus y avoir de danse du scalp des généraux.

Aussi devenaient-ils inattaquables, sauf par le pouvoir politique. Clemenceau avait tenté de faire juger Duchêne par un tribunal mixte, où les parlementaires fussent représentés. Il n'avait pas réussi. Les généraux acceptaient qu'il prît en charge la responsabilité très lourde de la guerre devant l'opinion, mais non qu'il se mêlât de les faire sanctionner. Ils prétendaient rester entre eux.

Faire marcher à la mort des millions d'hommes n'était pas un crime, mais un métier. Ils s'y étaient entraînés dès leur jeunesse. On ne pouvait leur faire grief des pertes, elles faisaient partie des risques de leur mission. Ils les subissaient aussi bien que les hommes et les généraux eux-mêmes étaient tués ou blessés au combat. Maunoury y avait perdu un œil, Gouraud un bras. Quant à les accuser d'une défaite, voulait-on leur enlever tout esprit de décision ? Chacun connaissait les aléas de la guerre, et particulièrement de la météorologie. Ils étaient moins graves en 1914 qu'en 1918, car alors l'observation aérienne des artilleurs reposait essentiellement sur les avions qui ne pouvaient, à l'époque, prendre l'air par mauvais temps. Cet inconvénient gênait surtout les assaillants et décourageait les offensives en rendant aveugle la préparation.

Le mauvais temps avait servi les Allemands en avril 1917, quand ils étaient dans la défensive, et le bon temps, le 21 février 1916, pour les débuts de l'offensive de Verdun. La météo — avec la guerre technicienne et aérienne — était devenue l'un des aléas les plus préoccupants. Les généraux ne pouvaient pas deviner et prévoir les mouvements de l'ennemi par gros temps, comme les aviateurs français avaient réussi à le faire, à la fin d'août 1914. Ces conditions météorologiques échappaient à la volonté de Moltke II et de Joffre. Les généraux les invoquaient souvent pour excuse.

Ils déployaient aussi, à leur défense, les fautes et les responsabilités de l'arrière. Il avait été plus long et plus difficile de faire entrer dans la guerre l'ensemble d'un pays comme la France, alors que cette mobilisation industrielle était plus facile en Allemagne, où la grande industrie était concentrée et standardisée. Des firmes comme la rhénane Krupp et l'autrichienne Skoda avait des moyens de production plus élevés que les centres privés français qui, au départ, avaient été handicapés par le préjugé des bureaux de la Guerre dont les experts et directeurs, souvent des généraux, prétendaient réserver la production aux arsenaux de l'État. Les ministres et secrétaires d'État à la Guerre, aux Fabrications et à l'Air, étaient les vrais coupables disaient les généraux, des déconvenues au front.

Dans la course à la puissance des moteurs et des mitrailleuses aériennes, les aviateurs pouvant compter sur une fabrication de masse plus innovante avaient un avantage réel sur le terrain. Les Français avaient eu des hauts et des bas dans ce domaine. L'état-major ne manquait pas de culpabiliser les bureaux de la Guerre quand les fabrications promises n'arrivaient pas à temps au front. La production était particulièrement pénalisée, quand les modèles de masques à gaz devaient être fréquemment changés, parfois tous les quinze jours, pour cause d'inefficacité.

Les généraux pouvaient encore accuser les ministres de n'avoir pas imposé une protection suffisante aux soldats français. Le lieutenant-colonel Serret, attaché militaire à Berlin, n'avait su que répondre au Kaiser quand il lui demandait au début de 1914 pourquoi les Français s'obstinaient à aller à la guerre en képis et pantalons rouges. La défense de la tradition par les bureaux de la guerre (et les fournisseurs aux armées) était ici mise en cause.

Mais que dire du casque, si longtemps attendu dans les unités ? « Nous tordrons les Boches avant » (que les casques ne soient produits en série), disait Joffre à Poincaré, oubliant que l'absence de casque était directement à l'origine du fort pourcentage (60 %) de victimes par blessure à la tête. Les Allemands étaient-ils mieux lotis, coiffés du fameux casque à pointe dont seule la pointe était métallique, et le reste de cuir bouilli ? Joffre ne voulait pas prendre le risque, en 1915, de remettre son offensive pour attendre la sortie des usines du casque protecteur. Ses successeurs attendraient-ils l'arrivée d'un masque efficace contre le gaz moutarde pour lancer leurs assauts, au départ de tranchées entièrement noyées dans le brouillard mortel ?

Il n'était pas d'usage, à l'époque, de pénaliser un général escomptant la victoire pour n'avoir pas absolument tout prévu. On ne lui en voulait nullement d'avoir fait entrer dans ses calculs les pertes prévisibles, en moyenne mensuelle, d'une année entière de massacres programmés. On estimait au contraire « moderne », qu'un général en chef devînt, à l'allemande, statisticien. On dit que le quartier-maître général Ludendorff écrivit à l'empereur, au soir du 8 août 1918, pour lui démontrer, sur la foi des statistiques, que les Allemands n'avaient plus les moyens de gagner la guerre.

Ce discours n'était évidemment pas destiné à la troupe, dont on attendait qu'elle fît son devoir dans l'ignorance des données exactes de l'affrontement. Seuls les généraux savaient. Le secret faisait partie de leur mission, comme un élément de la cuirasse. On appelait jadis l'armée la « grande muette », pour l'empêcher de prendre parti dans le combat politique. Elle était muette au point de ne rien dévoiler de ses projets au pouvoir, au temps de Joffre. Il fallait lui demander des comptes, lui envoyer, comme disait Clemenceau, des « contrôleurs », forme moderne des représentants aux armées, pour tâcher d'y voir clair dans le jeu des généraux.

Nivelle avait réussi sa carrière en jouant la carte de la transparence, en invitant dans les popotes ministres et députés. Il n'avait rien à cacher, sinon aux Allemands. Il ne demandait qu'à partager ses secrets, ses projets, à condition qu'on n'exige pas trop de lui. Le bon général ! Qui lui aurait reproché la statistique des pertes, dont on eût tant de peine à connaître les chiffres exacts, après l'affaire du

Chemin des Dames, si l'offensive avait réussi ? On ne questionne jamais un général qui gagne. A-t-on demandé des comptes à Joffre sur les morts de la Marne, découverts sur le champ d'honneur peu après la victoire par un Briand qui ne pouvait cacher son haut-le-cœur ? Fallait-il payer d'un prix si lourd une victoire hypothétique ? A cette question, appartenait-il aux seuls généraux de répondre ?

Sans doute pouvait-on leur reprocher d'avoir fait tuer des hommes en pure perte, par acharnement doctrinal, par exemple au début du conflit, mais aussi pendant l'année 1915 et jusqu'en 1918. La 6e armée aurait-elle compté tant de morts et de blessés, si elle n'avait été tenue de résister « sans esprit de recul » sur la première ligne du Chemin des Dames ? Pétain n'avait-il pas dit et répété que le recul programmé sur le champ de bataille d'armée était le seul moyen de limiter les pertes ? N'était-ce pas le vrai grief contre Duchêne et d'autres, et non l'affaire des ponts ? Mais quel tribunal militaire aurait accepté de juger un général qui avait ordonné de lutter jusqu'à la mort ? Même Pétain ne se serait pas risqué à envoyer devant des juges un chef d'armée qui s'était bravement conduit, même s'il n'avait pas suivi ses ordres et partagé sa doctrine.

La suite devait démontrer qu'on aurait besoin d'un Duchêne, et même d'un Mangin, et encore d'un Chrétien. Une erreur n'impliquait pas la perte de l'honneur dans le code des généraux, et pas plus une faute. Mais il importait de les changer à la fois pour donner satisfaction à l'opinion politique lasse des échecs et au pays angoissé par l'accumulation des pertes. Les généraux trinquaient. La preuve ? Ils étaient limogés. On affichait les changements de l'organigramme de l'armée, comme si l'état-major devait s'en faire gloire. On prenait soin de ne pas trop accabler les partants, parce qu'ils pouvaient encore se rendre utiles, mais surtout pour une raison de fond : il n'était pas bon d'imputer les pertes à l'incompétence des généraux. Qui les avait nommés ?

Ils vivaient cette guerre entre eux, comme dans un milieu fermé. Une caste ? Sans doute se recrutaient-ils souvent dans les familles militaires, catholiques des marches du nord et de l'est. Nobles pour beaucoup, sans exagération : Girardet a calculé qu'au tableau de 1882, les nobles n'étaient que 92 sur 434. La proportion avait dû se maintenir trente ans plus tard. Mais Foch était d'un milieu modeste de Tarbes et Franchet d'Esperey pied noir. Joffre et Sarrail, comme Roques, étaient maçons, si Castelnau était catholique pratiquant. La guerre avait fait disparaître ces clivages et les maçons acceptaient fort bien que leurs officiers se rendissent à la messe au front. La place de la religion consolatrice n'était-elle pas sur le champ des morts ?

Les clivages politiques étaient encore plus inexistants. Certes, tous les généraux étaient hostiles au socialisme internationaliste devenu bolchevisme en 1917 et de surcroît pacifisme. Mais les socialistes français avaient longtemps participé aux gouvernements d'union sacrée et le respect des idées de chacun faisait partie des traditions bien établies de la Muette.

La guerre avait renforcé cette tendance chez les généraux, les poussant en outre à tenir le milieu politique comme suspect ou coupable, toujours prêt à renoncer à la victoire pour envisager une paix de compromis. Ce soupçon désignait particulièrement Briand. Les généraux étaient apolitiques de tradition. Ils n'avaient aucune raison de fond de se situer en des chapelles hostiles pour des raisons partisanes, mais seulement par habitude professionnelle.

Le milieu était en effet étroit, fermé, coupé du reste du pays. En 1914, les officiers d'active de l'armée française étaient environ 30 000 dont 330 généraux inscrits au tableau, y compris ceux qui devaient partir à la retraite. Le volet de manœuvre du général en chef pour les affectations d'unités devenait étroit en temps de guerre, quand il fallait embrigader plus de cent divisions de combat, sans compter les centres de l'arrière, les administrations et naturellement les états-majors, gourmands en cadres.

On ne s'improvisait pas général. Le métier était devenu technique, exigeant, difficile à exercer. Au temps des armées de la Révolution, les conventionnels avaient déjà éprouvé des difficultés à organiser la relève des généraux, en raison des problèmes logistiques posés par les troupes en campagne. Un Berthier, ancien aristocrate, s'était maintenu en service pour une seule raison : sa compétence d'officier d'état-major acquise dans le corps expéditionnaire français pendant la guerre d'Amérique qui devait faire de lui le meilleur chef d'état-major de Napoléon.

Aucun général ne pouvait être nommé au feu sans être breveté de l'école de guerre, qu'il sortît de Polytechnique, de Saint-Cyr, éventuellement de Saint-Maixent, l'école de l'infanterie. Il y avait de brillantes exceptions comme Joffre, qui cautionnait des généraux d'une autre trempe, ignorant les intrigues des brevetés parisiens. Mais le généralissime, polytechnicien et général du génie, avait été au ministère directeur de cette arme et connaissait les problèmes de logistique.

Il privilégiait par inclination ceux des officiers qui avaient servi aux colonies. Ils étaient en effet les seuls à posséder une certaine expérience de la guerre. Ainsi au clan des brevetés s'était juxtaposé celui des coloniaux, des Gouraud, des Mangin, des Franchet d'Esperey, plus praticiens que théoriciens. Ils devaient leur nomination à l'esprit positif inculqué aux cadres par les conquêtes coloniales, à l'initiative dont ils avaient du faire preuve. Leurs états de service parlaient pour eux.

Nommés à des commandements d'armée, de corps d'armée, de divisions et de brigades, ces coloniaux étaient entourés d'officiers d'état-major brevetés, n'ignorant rien des doctrines des théoriciens de l'École de guerre dont les pontifes étaient Foch, Castelnau, Fayolle et Pétain lui-même qui avait été professeur pour l'infanterie, de 1901 à 1910.

Les fonctions de direction de la guerre ne pouvaient être ouvertes aux amateurs. Un saint-cyrien qui n'aurait pas reçu cette formation spéciale n'avait aucune chance d'être nommé, s'il n'avait fait ses preuves dans l'armée coloniale. Mais, en 1914, le recrutement de ce type s'était éteint. Les meilleurs étaient en France, dans les cinq armées de couverture. L'École de guerre n'avait pas la possibilité d'accroître à l'infini le nombre des brevetés. Les officiers faisaient la guerre entre eux, à effectif fermé. Ceux qui auraient dû remplacer les anciens étaient morts en sortant des écoles, au feu : quatre mille jeunes saint-cyriens devaient ainsi disparaître. Le renouvellement des brevetés n'était pas assuré. Force était de garder les anciens.

Peut-on parler d'une caste ? Sans doute, au sens social, par les contraintes de vie imposées aux cadres, pour leur mariage et leur résidence. Mais Foch, Joffre, Pétain, Gouraud étaient d'origine modeste, arrivés par leurs mérites et grâce à l'École. Faute de pouvoir assurer la promotion des jeunes, trop vite disparus, on avait tendance à recruter chez les anciens qui avaient fait leurs preuves aux premières batailles.

La carrière de Pétain était un bon exemple de la promotion sur le tambour : colonel mal noté en 1914, général de brigade dès le 31 août, divisionnaire quinze jours plus tard. Chef de corps en octobre, puis général d'armée devant Verdun avant de recevoir le groupe des armées du Centre, puis le poste suprême en 1917. Les qualités de sang-froid et d'organisation prévalaient sur tout. Elles expliquaient les promotions rapides, et la fusion dans le corps de bataille des officiers de diverses origines. La guerre n'offrait pas les moyens de promouvoir des incapables. Ils avaient été éliminés par purges successives.

Qu'on les tînt pour responsables des revers faisait partie des risques de leur métier. Les généraux acceptaient la disgrâce, même s'ils prétendaient avoir seulement manqué de chance. Mais ils n'admettaient pas qu'on leur imputât les pertes.

Que pouvait leur imputer d'autre le pays exsangue, privé d'un million et demi de ses hommes jeunes, ravagé par la guerre interminable ? Ils avaient formé par force des officiers de fortune, des instituteurs, techniciens, et mêmes administratifs, pour encadrer les effectifs de leurs cent divisions qui ne sortaient pas de leurs écoles et n'avaient pas avec eux, de langage commun.

Ceux-là, plus proches de la troupe, mettaient aussi en question la guerre. La nation se reconnaissait dans ces capitaines qui avaient tenu les hommes au plus fort des orages, et non dans ces généraux. Mais les uns comme les autres savaient bien que les véritables responsables de la guerre, et de sa prolongation, étaient, avant tout, les politiques eux-mêmes. Clemenceau, après avoir longtemps accablé les généraux, avait fini par leur servir de rempart, comprenant qu'il n'y aurait de victoire sans eux.

Mais pour les familles des victimes, et d'abord celle des fusillés de 1917, la mise en question des généraux, rendue légitime par l'obstination des offensives et la recherche d'une décision à n'importe quel prix, passait par la condamnation d'une guerre atroce, qui avait envoyé au cimetière, sous les croix de bois, les meilleurs de leurs fils.

Bibliographie

Sources d'archives

SHAT, Archives état-major de l'armée, série 1N.
Fonds Gallieni, série 6N.
Fonds Joffre, série 14N.
Archives du GQG, série 16N.
Rapport de la commission Brugère.
Comité de guerre, série 3N.
Conseil supérieur de guerre. Série 4N.
Cabinet du ministre, série 5N.
Fonds Clemenceau, série 6N (dont l'enquête sur le 25 mai 1918, dossier A, carton 165).
Deuxième bureau, série 7N.
Fonds Poincaré, cartons 170 à 175.
Archives nationales : procès-verbaux de la commission de l'armée, série C.
Assemblée nationale : procès-verbaux des comités de guerre.
Les armées françaises pendant la Grande Guerre. Onze volumes parus avec les annexes et cartes.

Sources imprimées

ALLARD, *L'Oreille fendue*, Les éditions de France, 1932.
BEAU et GAUBUSSEAU, *Lanrezac a-t-il sauvé la France ?*, Paris, Presses de la Cité, 1964.
BONNEFOUS, Georges, *Histoire de la IIIe République*, t. II, *La Grande Guerre*, Paris, PUF, 1956.

CAILLAUX Joseph, *Mes Mémoires*, 3 vol., Paris. Plon, 1943.
COLIN (général), *La Guerre de mouvement, 1918*, Paris, Payot, 1935.
CORDONNIER (général), *L'Obéissance aux armées*, Lavauzelle, 1924.
CRU Jean Norton, *Témoins*, PUN, 1993.
DEBENEY. *La Guerre et les hommes. Réflexions d'après-guerre*, Paris, Plon, 1937.
DUBAIL (général), *Quatre Années de commandement*, t. 1, Fournier, 1920.
ENGUERAND F., *Le Secret de la frontière*, Charleroi, Bossard, 1918.
FAYOLLE (maréchal), *Cahiers secrets de la Grande Guerre*, Paris, Plon, 1964.
FERRY Abel, *Cahiers secrets*, Paris, Grasset, 1957.
FOCH (maréchal), *Mémoires*, Paris, Plon, 1931, 2 vol.
GALLIENI, *Carnets*, Paris, Albin Michel, 1932.
GOUTARD (colonel), *La Marne*, Paris, Robert Laffont, 1968.
JOFFRE (maréchal), *Mémoires*, Plon, 1932, 2 vol.
LEGRAND GIRARDE (général), *Un quart de siècle au service de la France*, Presses littéraires de France, 1954.
MANGIN (général), *Comment finit la guerre*, Paris, Plon, 1920.
MERMEIX, *Nivelle et Painlevé. La deuxième crise du commandement*, Ollendorff, 1919.
MESSIMY (général), *Mes souvenirs*, Paris, Plon, 1937.
PEDRONCINI Guy, *Pétain général en chef*, Paris, PUF, 1974.
PEDRONCINI Guy, *Les Mutineries de 1917*, Paris, PUF, 1967.
PERCIN (général), *Les Erreurs du haut commandement*, Paris, Albin Michel, 1920.
PIERREFEU Jean de, *L'Offensive du 16 avril. La vérité sur l'affaire Nivelle*, Paris, La Renaissance du Livre.
POINCARÉ Raymond, *Au service de la France*, t. 1 à 10, Paris, Plon, 1923-1926.
POURADIER-DUTEIL, Paul, *Août 1914. Enquête sur une relève*, Chypre, Theopress LTD, Nicosie, 1997.
REGNAULT (général), *Les Officiers limogés*, Fournier, 1919.
RIBOT Alexandre, *Journal*, Paris, Plon, 1959.
ROCOLLE, *L'Hécatombe des généraux*, Lavauzelle, 1980.
ROUQUEROL (général), *Le Drame de Douaumont*, Paris, Payot, 1931.
WEYGAND (général), *Mémoires*, Paris, Flammarion, 1953, t. 1.

Index

Table

Cet ouvrage a été composé par
Graphic Hainaut (Condé-sur-l'Escaut)
et imprimé sur presse Cameron
par **Bussière Camedan Imprimeries**
à Saint-Amand-Montrond (Cher)
pour le compte des éditions Plon

Achevé d'imprimer en novembre 2001

N° d'édition : 13420. — N° d'impression : 015497/1.
Dépôt légal : octobre 2001.

Imprimé en France